POCH

SAVOIR
ATTENDRE

Du même auteur
chez Odile Jacob

Comment faire rire un paranoïaque, 1996 ; « Poches
   Odile Jacob », 2000.
La Fin de la plainte, 2000 ; « Poches Odile Jacob »,
   2001.
Il suffit d'un geste, 2003, « Poches Odile Jacob », 2004.

François ROUSTANG

SAVOIR ATTENDRE

Pour que la vie change

Odile
Jacob
poches

© Odile Jacob, 2006, février 2008
15, rue Soufflot, 75005 Paris

ISBN : 978-2-7381-2052-6
ISSN : 1621-0654

www.odilejacob.fr

« *Das ewige Geltenlassen, das Leben und Lebenlassen.* »

GOETHE, *Dichtung und Wahrheit*, ch. 18, cité par Charles Du Bos dans ses *Approximations* qui traduisait ainsi : « L'éternelle propension de Goethe à laisser chaque chose, chaque être avoir cours selon sa valeur propre, à vivre lui-même et à laisser vivre autrui. »

« *Dazu gehört dass der Mensch mit Geist, Herz und Gemüt, kurz in seiner Ganzheit, sich zur Sache verhält, im Mittelpunkt derselben steht und sie gewähren lässt.* »

« Il faut que l'homme, avec son esprit, son cœur, son âme, bref, dans sa totalité, se rapporte à la chose, se tienne au milieu d'elle et la laisse faire. »

HEGEL,
Encyclopédie des sciences philosophiques,
addition au § 449.

« *Lass dich die Bedeutung der Worte von ihren Verwendungen lehren.* »

« Laisse l'emploi des mots t'enseigner leur signification. »

WITTGENSTEIN, *Recherches philosophiques*,
II, XI.

Prologue

> « Attendre, se rendre attentif à ce qui
> fait de l'attente un acte neutre, enroulé sur
> soi, serré en cercles dont le plus intérieur et
> le plus extérieur coïncident, attention distraite
> en attente et retournée jusqu'à l'inattendu.
> Attente, attente qui est le refus de rien
> attendre, calme étendue déroulée par les
> pas. »
>
> Maurice BLANCHOT, *L'Attente, l'oubli.*

– Tu peux m'expliquer ton métier ?

– Qu'est-ce qui t'arrive ? Tu viens chez moi pendant les vacances, tu me vois toujours descendre dans mon bureau. Pourquoi tu me demandes ça aujourd'hui ?

– La professeur de français nous a expliqué hier le mot psychologie. À propos de Madame Bovary. Elle nous a dit que cela venait du grec, que c'était l'étude de l'âme, de l'âme humaine. C'est quelque chose comme ça que tu fais ?

11

– Flaubert ne serait pas très content que l'on utilise ce mot pour parler de son héroïne. Moi, je ne l'emploie pas à propos de mon travail, parce que cette pseudoscience est une invention récente de notre culture pour justifier son exaltation de l'individu. Je crois que le mot « psychologie » a été créé ou mis en valeur par Condillac qui voulait remplacer l'astrologie par l'analyse des sentiments.

– Alors, tu voudrais réhabiliter l'astrologie toi aussi ?

– Oh non ! Je pense juste que la psychologie n'existe pas parce que l'âme ou la psyché ou le psychisme n'existent pas. Il n'y a pas d'âme sans corps et pas de corps sans rapport à l'espace et à l'environnement. « Le corps humain est la meilleure image de l'âme humaine. » C'est Wittgenstein qui dit cela. C'est du corps qu'il faut s'occuper, pas du corps vu par la médecine scientifique, mais du corps qui parle, qui se meut, qui s'émeut.

– Mais c'est bien quelque chose d'étudier ses pensées, ses sentiments, ses émotions ? C'est bien quelque chose de les considérer, de les dire, de les analyser ? La littérature en est pleine.

– Tu as raison. Enfin, peut-être pas... Comment les dramaturges et les romanciers nous font-ils entrer dans les pensées et les sentiments de leurs personnages ?

– En les formulant.

– Je ne crois pas. Ils font vivre leurs personnages sous nos yeux. Ils nous montrent comment ils marchent, comment ils causent, comment ils se comportent. Pense à Phèdre. Comment nous fait-elle savoir son trouble intérieur ? « Que ces vains ornements, que ces voiles me pèsent, quelle importune main... » Pense à Fabrice à Waterloo. Tout Stendhal, c'est du cinéma, et le plus souvent du cinéma muet. Et l'inspiration selon Faulkner. Il nous dit que *Le Bruit et la Fureur* a été écrit à partir d'une image : la petite culotte de Quentin aperçue lorsqu'elle est montée dans l'arbre.

– Bon, mais qu'est-ce que c'est que cette histoire de corps dans ton travail ? Si tu ne veux pas de la psychologie, par quoi tu la remplaces ?

– Il ne s'agit pas de la remplacer, mais de faire tout autre chose.

– Mais quoi ? Tu ne veux plus t'occuper des états d'âme des gens qui viennent te voir ?

– Je vais te raconter une petite histoire. Il s'agit d'une jeune fille qui a fait une longue thérapie. Elle s'est plainte de ses petits et grands malheurs pendant des mois, voire des années. Un jour, elle s'est trouvée beaucoup mieux et a décidé de mettre un terme à ces rencontres. Comme la thérapeute lui demandait ce qui, à ses yeux, avait été décisif pour opérer son changement, elle avait répondu : « Parce que dès le début vous ne m'avez pas écoutée. » Grand étonnement de la thérapeute qui écoute ses patients avec beaucoup d'attention et de respect. Ensuite elle a compris : à aucun moment, elle n'avait pris au sérieux les misères

13

et les interminables explications de la jeune fille. Elle attendait autre chose, elle attendait que toutes ces récriminations passent à la trappe.

– S'il suffit de ne pas écouter les plaintes, de ne pas prendre au sérieux les peines et les dires, d'être à la limite de la désinvolture, ce ne doit pas être un métier trop difficile à pratiquer. Tu ne me feras pas croire que c'est à cela que tu passes des heures et des journées.

– Détrompe-toi. Il faut un long apprentissage pour rester attentif à quelqu'un qui s'égare dans des propos inutiles, qui tourne sans se lasser autour des questions qui empoisonnent son existence pour éviter de les aborder, qui ne peut ou ne veut pas voir ce qui lui crève les yeux ou qui, l'ayant vu, s'empresse de lui tourner le dos. C'est comme attendre patiemment que la tempête se calme pour pouvoir reprendre la mer. Une façon d'écouter et d'être là qui dissout les graisses de nos propos pour n'en laisser subsister que la bonne chair.

– Je ne comprends pas bien ce que tu fais. Il me semble que tu invites à la passivité. Tu parles de rester attentif, d'attendre patiemment, d'être là. Je ne vois vraiment pas comment cela pourra en quoi que ce soit aider ceux qui viennent te voir.

– D'accord. Cela peut donner une impression de passivité. C'est vrai que l'attente, par exemple celle du spectateur, qui n'est nullement impliqué dans le spectacle, est passive. Elle n'a pas d'influence sur ce qui se passe sur la scène (encore qu'un parterre désabusé ou enthousiaste ne puisse pas manquer d'avoir un effet sur les acteurs). Mais il y a une autre attente, celle qui mobilise les forces et les rend disponibles. Marcel Mauss, le grand ethnologue, que certains croient avoir dépassé, faisait de l'attente la clef de la compréhension de ce qu'il nommait l'homme complet ou l'homme total. L'attente était pour lui aux confins d'une multitude de phénomènes physiologiques, psychologiques, sociaux, économiques, politiques. Elle les rassemble et les anime.

– Si je comprends bien, par ton attente paisible, sans rien dire et sans rien faire, tu mobiliserais les forces du patient et les lui rendrais disponibles, les mettrais à sa disposition. C'est très beau, mais c'est tout de même un peu mystérieux.

– Qu'est-ce que tu trouves là de mystérieux ? C'est ni plus ni moins mystérieux que d'autres phénomènes humains ; ce n'est pas plus mystérieux que l'amour, la haine, la jalousie, etc. La seule différence, c'est que nous ne nous y attardons pas, que nous ne nous y exerçons pas. Un ami me disait l'autre jour qu'attendant le métro ou le bus il s'apprenait à attendre, ne cherchant pas à se distraire de l'attente en prenant un journal ou un livre, ne faisant rien d'autre que d'attendre. Il s'agit d'une attente sans contenu. On n'attend rien, on attend tout simplement. On devient attente.

– Je ne vois tout de même pas l'intérêt d'un tel exercice. Quand on attend sans pouvoir rien faire d'autre, il nous est normal, par exemple, de penser à un projet et de l'élaborer quelque peu.

– Pourquoi pas ? Mais ce n'est pas de cela que je veux parler. L'attente dont je parle est faite pour créer un état de disponibilité, pour nous mettre en état de souplesse à l'égard des choses, des personnes ou des événements. Plus précisément, lorsqu'il s'agit d'une attente en présence d'un patient, c'est comme si, à force d'attendre tout et n'importe quoi, on le décantait. L'anecdotique qui l'encombre laisse place à la clarté, à quelque chose de fluide qui l'habite tout entier.

– Attends, je vais essayer de faire ce que tu dis. Tiens, j'ai dit « Attends », ça veut dire quoi ?

– Ça veut dire au moins que tu m'écartes, que tu veux que je te laisse faire toute seule.

– Alors je ne fais rien ? J'attends seulement, mais je n'attends rien ? Comment peut-on attendre sans rien attendre ?

– Pour le savoir, tu devrais te taire cinq minutes et te mettre en suspens, comme si tu étais un oiseau qui plane ou même un oiseau qui est arrêté dans l'air, ne sachant même plus s'il vole ou ne vole pas, s'il est là ou s'il n'est pas là. Il ne s'occupe plus de savoir ni ce qu'il est, ni ce qu'il veut, ni ce qu'il fait.

– (Après quelques minutes de silence) Ah, mais ce n'est pas mal du tout. Je me sens calme... À vrai dire, je ne me sens rien du tout.

– L'autre jour, quelqu'un m'a dit lors d'une séance : « Quand on est comme ça, on n'a plus d'humeur. » On ne se préoccupe plus de savoir si on est bien ou pas bien, si on est content ou pas content.

– Mais on ne peut pas rester comme ça tout le temps.

– Bien sûr, mais tout de même ça peut durer comme si nous étions sans cesse en contact avec un fond, avec une base. Les agitations de la mer en surface n'empêchent pas qu'il y ait du silence loin en dessous. Et puis, on s'aperçoit que les choses qui nous troublaient dans notre existence, qui étaient plus ou moins en désordre, qui brouillaient notre vue, on s'aperçoit que ces choses sont mieux en place les unes par rapport aux autres. Surtout, on est plus disponible pour prendre d'un bon côté les événements.

– Quand on parle avec toi, on a l'impression que tu t'intéresses beaucoup au thérapeute, que tu exiges beaucoup de lui, mais que tu ne l'aides pas beaucoup en lui disant comment se présenter à son patient, comment lui parler, que lui proposer. Mais, tu vas me dire si c'est exact, j'ai l'impression d'avoir compris quelque chose en faisant ce petit exercice d'attente. C'est comme si toi, thérapeute, tu te mettais en attente, tu provoquais ton visiteur à se mettre dans la même attente.

– Tu as tout compris.

– Oui, mais est-ce que c'est ça aller mieux ou guérir de ses troubles ?

– C'est du moins commencer.

– Pourquoi commencer ?

– Parce que, si tu n'es pas à la bonne place, à ta place, tu ne peux pas prendre le bon chemin. C'est ça, s'intéresser au corps qui se meut, même s'il reste immobile, au corps qui parle, même s'il garde le silence, un corps qui se situe par rapport à lui-même et, de ce fait, par rapport à tout ce qui le touche ou l'atteint.

– Oui, mais qu'est-ce que tu dis à tes patients pour qu'ils trouvent leur place ?

– Par exemple, de bien s'installer, de trouver la position optimale pour se concilier tous les composants de leur existence, ou plutôt de se laisser la trouver. Car, lorsqu'on trouve la bonne position, ou tout simplement qu'on la laisse venir, le corps, l'esprit et l'environnement ne font qu'un. On est alors réconcilié avec soi-même et donc avec beaucoup d'autres choses.

– Mais comment on peut faire ça ?

– C'est exactement la question que la plupart du temps me posent mes visiteurs. N'est-ce pas ce que tu as fait tout à l'heure. Tu t'y es mise, voilà tout. Il faut se contenter de le faire et de le laisser se faire. Comment ? Mais comme ça. Quelqu'un l'autre jour m'a fait remarquer que je disais souvent : « Allez-y. » Si j'expliquais comment faire, je ne pourrais que mettre un intermédiaire de plus entre eux et eux-mêmes, donc un obstacle de plus. On ne peut pas expliquer à un petit enfant comment marcher, comment courir ; je ne peux pas expliquer ce que c'est que d'attendre sans attendre. Il y a un moment où il faut s'y mettre, il faut faire le pas. Il faut même chaque fois oublier comment on a fait, même si ça fait des années que l'on pratique ce genre d'exercice. Il faudra qu'on reparle de l'oubli. Je pense au titre d'un livre de Maurice Blanchot *L'Attente, l'oubli*. Avec ces deux ingrédients, il avait mentionné les deux fils dont l'être humain peut être tissé.

– Là, tu vas un peu vite. Si tu n'es pas trop pressé, je voudrais revenir en arrière. Tu as dit que l'attente était une mobilisation de forces. Qu'est-ce que tu veux dire par là ? Quelles sont ces forces et d'où viennent-elles ?

– Pour te répondre, il faut que je fasse un détour. Se souvenir que nous ne sommes pas des individualités qui tiennent toutes seules. Je te cite Hegel : « Nous sommes un monde de contenu concret à la périphérie infinie, nous avons en nous une multitude innombrable de relations et de connexions, qui est toujours en nous, même si elle n'entre pas dans notre sensation et représentation. » Les relations et connexions dont nous sommes faits sont d'« une infinie richesse ». La plupart du temps, nous n'y pensons pas, nous n'en avons pas la préoccupation, et pourtant elles ont formé et elles forment notre individualité.

– Pourquoi parler de forces ?

– Suppose que les fils qui nous lient à ces relations et connexions soient coupés, nous allons mourir d'inanition. Si nous voulons retrouver notre vitalité, il n'y a pas d'autre moyen que de renouer ces fils. Que l'attente mobilise nos forces, cela revient à dire que nous reprenons le contact avec ces relations et connexions. Justement parce que nous n'attendons plus rien de particulier, nous ne sommes plus accaparés par ce particulier, alors nous sommes ouverts à tout ce que nous avons perçu et appris au cours de notre brève ou longue histoire.

– Je comprends mieux maintenant. Nous n'utilisons dans le présent qu'une très petite partie de ce que nous avons engrangé au cours de l'existence. Comme si nous ne disposions aujourd'hui que d'une seule couleur, et encore d'une couleur diluée, pour peindre notre aujourd'hui, alors qu'il y en a cent ou mille à notre disposition, qui peuvent entrer en correspondance dès le plus jeune âge. Je repense à la fin du *Temps retrouvé* que je viens de lire et qui propose d'user, « par rapport à la psychologie plane dont on use d'ordinaire, d'une sorte de psychologie dans l'espace » qui caractérise un individu par les positions prises successivement à l'égard des autres.

– Je ne me souvenais plus de ce passage. Je vois que tu sais lire. Cette citation me réjouit parce qu'elle contredit l'opinion selon laquelle Proust serait le chantre de l'intime, alors qu'il nous fait voir une société où les rapports sont régis par des lois qui valent pour les planètes. C'est l'entourage qui nous fait, nous défait et nous restaure. Certes, chacun réagit aussi à sa manière, mais il n'existerait pas sans ce contexte qui le précède. Nous sommes nés après, nous sommes arrivés après, et c'est toujours après que nous sommes. C'est pourquoi la prise de position du corps dans son environnement est la clef du mieux-être.

– Ne t'emballe pas. Permets-moi de te dire sans malice que j'ai un peu l'impression que tu élèves le ton pour cacher les difficultés. Tu en appelles au corps et à sa position dans l'espace. Tu n'aboutirais pas à nier l'intelligence ? Je me méfierais de cet appel au spontané. Pourquoi pas, tant que tu y es, à l'instinct ?

– Tu es terrible, parce qu'il est vraiment très difficile de répondre à cette objection. Tout ce que je peux dire, c'est que, dans ma pratique, c'est en faisant taire le souci de comprendre, en faisant même s'éteindre la pensée explicite, en se laissant aller à la confusion que l'on découvre une autre intelligence des êtres et des choses. Ce n'est qu'un passage, mais un passage à renouveler sans cesse. Les gens intelligents qui restent cramponnés à ce qu'ils ont déjà compris finissent par ne plus rien comprendre à rien. Il faut repasser par l'idiotie pour accéder à l'intelligence. Pense à Dostoïevski, mais aussi encore à Faulkner dans *Le Hameau*, par exemple. C'est pour le passionné de la vache que l'humain n'a plus de secret.

– Est-ce qu'il n'y aurait pas un lien entre l'idiotie et l'oubli ?

– Comment tu verrais cela ?

– Je ne sais pas très bien. Par exemple, l'idiot est quelqu'un qui sait très bien ce qu'il fait, même s'il ne le sait pas du tout et qu'il serait incapable de l'expliquer. Il sent les choses. Il les sent d'autant mieux qu'il n'est pas gêné par une compréhension plus ou moins abstraite, plus ou moins limitée, plus ou moins fatiguée.

– Et l'oubli alors ?

– Je ne sais plus très bien ce que je voulais dire.

– Je n'avais pas pensé à ce rapprochement que tu fais entre l'idiotie et l'oubli. Mais ça devrait être possible de développer. Ce qui me semble fondamental, c'est que l'idiot est celui qui s'oublie lui-même, qui oublie de se regarder et qui, comme tu le disais, est tout entier dans le sentir. Il est intelligent, très intelligent, mais comme un humain qui n'aurait plus à se justifier aux yeux des autres, qui serait ce qu'il est tout simplement, qui n'aurait plus de distance entre lui et lui-même parce qu'il n'aurait pas besoin de se regarder pour savoir qu'il est bien là. Il n'aurait même pas besoin de s'oublier comme je pense que l'on dit que les sages doivent faire. Il fonctionne très mal dans la société, mais il est en accord avec tout ce qui se passe. L'oubli, c'est quelque chose comme ça, un état dans lequel on n'a pas besoin de se souvenir, c'est la vraie mémoire, celle qui garde tout en mémoire et qui nous permet de vivre sans que nous y prêtions attention. Une mémoire qui ne se rappelle rien, parce qu'elle est le moteur même de nos mouvements. Enfin ne pas savoir, après avoir cherché si longtemps à savoir.

– Encore une fois tu m'inquiètes. Pourquoi veux-tu tout le temps renoncer au savoir ? C'est tout de même par le savoir que l'on est humain.

– Tu as encore raison. Je crains tout le temps que l'on réduise le savoir à celui du technicien qui manipule des matériaux et qui fabrique des objets. C'est bien de cette manière que fonctionnent la psychologie et son cortège de techniques, de conseils et de recommandations. Le savoir est alors celui d'un sujet qui disposerait de moyens pour avoir barre sur la réalité et y produire des effets. Ce n'est pas ce savoir qui aide à vivre. Il faut inventer un savoir des choses et des êtres qui ne soit plus celui du spectateur, mais un savoir qui se perde sans cesse en ces choses et ces êtres pour les appréhender de l'intérieur de leur propre mouvement. Un savoir qui soit de l'ordre de la sensibilité ou de la sensorialité, qui vide les explications et les interprétations de la distance qu'elles veulent maintenir, qui reconduise le langage au gouffre fécond du silence, bref, un savoir qui renonce à servir à quelque chose.

– Je suis un peu perdue. Ce qui me semble évident et qui m'inquiète un peu pour toi, c'est que tu proposes quelque chose qui va à contre-courant de ce qui intéresse notre époque. Tu risques fort de ne pas avoir grand succès.

– Ne t'inquiète pas. D'abord, les vents ne soufflent pas toujours dans le même sens. Et puis, surtout, je me sens seulement contraint de m'exprimer à moi-même le plus clairement possible ce qui me fait tenir sur mes deux pattes. Les autres en font bien ce qu'ils veulent.

1

Laisse s'opérer le changement

Et d'abord : que veut dire changement en psycho-thérapie ou dans ce que l'on nomme ainsi ? C'est une modification des rapports qu'un individu entretient avec lui-même, avec les autres personnes et les choses de son environnement. Il s'agit donc d'une transforma-tion du complexe relationnel dans lequel se trouve inséré un individu.

La première question à se poser, pour aller plus loin dans l'intelligence du changement, consiste à se demander pourquoi et comment s'impose sa nécessité. Un changement est nécessaire lorsque le complexe relationnel, tel qu'il est aujourd'hui, fait souffrir dans l'un ou dans plusieurs de ses constituants. Par exemple, quelqu'un est sujet à des angoisses ou à des attaques de panique. Ou bien il est malheureux d'avoir des mouvements d'humeur à l'égard d'un enfant. Ou bien il ne supporte plus son conjoint, ses collègues, ses conditions de travail. Ou encore il a perdu son emploi, ou bien les conditions dans lesquelles il est logé le plongent dans le malaise, etc. Dans toutes ces circonstances, le changement s'impose parce que tel ou tel aspect de l'univers relationnel est ressenti comme intolérable. Nous avons là, il faut y insister, le point de départ et le point d'ancrage de la possibilité de toute modification. Ce ne sont pas les éléments « réels », extérieurs, qui sont décisifs ; c'est le sentiment que « trop, c'est trop », que « ce n'est plus possible ».

Si ce point de départ vient à manquer, rien ne pourra être effectué. Il arrive, en effet, que des personnes qui viennent demander de l'aide supportent assez bien leur peine et que même elles l'entretiennent à leur manière. Tel homme, par exemple, vient se plaindre de la dépression de sa femme. Mais, à l'entendre, on s'aperçoit que cette dépression lui donne sur sa femme une autorité qui lui convient et dont il n'est pas prêt à se débarrasser. Il en a en quelque sorte besoin pour soutenir sa pseudo-virilité ; il n'a donc que mollement envie de trouver en lui ou avec elle les moyens d'une solution. La plainte, alors, est un peu une compensation du fait de ne pas vouloir de changement. Ou bien telle femme qui souffre d'insomnie en profite pour paresser dans sa maison et pour se faire dorloter par les siens. C'est ce que Freud a mentionné joliment par les mots de bénéfices secondaires.

En un mot, tant que la souffrance n'a pas atteint un certain seuil d'insupportable, le coût du changement est supérieur à la dépense occasionnée par le mal. C'est là un des traits qui expliquent l'avortement de maintes entreprises thérapeutiques. On voulait bien changer, ou plutôt on le disait, mais le prix à payer est trop cher. Avec un thérapeute complaisant, la cure, ou plutôt la pseudo-cure, pourra se prolonger sans fin dans l'exhalaison des plaintes diverses et variées. Tout le monde, alors, fait semblant d'y croire. Si le thérapeute a quelque estime pour son métier, au contraire, il interrompra ce qui n'a pas commencé et il proposera que soit attendu le moment où il ne sera plus possible d'éviter la confrontation avec le mal à vivre, parce que le risque vaudra la chandelle. Savoir attendre, déjà.

De quoi avez-vous peur ?

De cette première entrave au changement, voici un exemple significatif. Une femme était venue dire son sentiment d'injustice de ce qui lui était arrivé. Elle ne cessait d'osciller entre un commencement de calme acquis dans la séance et une colère à l'égard de son mari et de son entourage. Mais, quand il fut question de se débarrasser de sa colère et qu'elle vit avec clarté la tâche qui l'attendait, elle préféra ne pas revenir et m'écrivit un mot très ferme qui se résumait de la sorte : entre la fuite et le changement, je préfère la fuite. Tous les patients ne sont pas doués d'une semblable lucidité et, on pourrait dire, de ce courage, mais leur refus d'avancer est de la même farine.

Qu'est-ce que cache ce refus et comment nommer l'obstacle que l'on ne veut pas franchir ? Il n'est autre que la peur des conséquences du changement personnel. Pour éclairer ce point, voici un autre exemple. Une femme se désole d'avoir été abandonnée par sa mère dans son enfance ; cette première injustice a gâché sa vie. Lors d'une première séance d'hypnose, elle constate que cet abandon qu'elle a subi est un prétexte pour jouer à l'éternel enfant et que le bonheur et la liberté sont à sa main, si du moins elle consentait à les laisser entrer en elle. Lors d'une seconde séance, elle explique longuement qu'elle ne veut pas aller plus loin. Elle a en effet construit son existence sur cet abandon premier. Tout son entourage sait de quoi elle souffre et l'accepte volontiers ainsi. Ses amies sont ses amies, parce qu'elles la plaignent ; son compagnon l'aime parce qu'elle a été et qu'elle reste une petite fille abandonnée qu'il protège et dont il prend soin. Si elle acceptait le bonheur qui la tente, c'est tout son régime relationnel qui serait menacé. Tout cela est, pour elle, le sel de sa vie. Et puis elle maîtrise assez bien ces composants de son existence à moitié faisandés. Quant au bonheur qu'elle sent à sa portée, qui peut lui garantir qu'il sera durable ? Il pourrait se dérober alors que l'ensemble de ses relations aura été bouleversé. Comment miser sur une proie qui ne sera peut-être qu'une ombre ?

Décidément, se lancer dans cette aventure ne vaut pas la peine. Elle décide donc de ne plus revenir.

À travers cet exemple, on voit s'esquisser les traits principaux de la peur du changement. Elle est peur d'une nouvelle configuration relationnelle et donc de la tâche difficile de réinventer son existence dans toutes les directions où elle s'étend. Cette femme a compris qu'elle ne pourrait rien préserver de son ancien monde ou du moins de la place qu'elle y occupait. De proche en proche, le virus du changement risquerait de contaminer l'ensemble de ses rapports à elle-même et aux autres. Elle ne reconnaîtrait plus son image ni probablement celle de ses proches.

Ce qu'elle redoute aussi, c'est la perte de la maîtrise. Elle se demande comment elle va pouvoir se repérer et manœuvrer dans ce nouvel univers. Mais ce qui est plus grave et qu'elle soupçonne, c'est que le changement ne va pas s'arrêter et qu'elle n'a aucune garantie de la stabilité du système relationnel nouveau qui va être instauré. Elle a raison : *accepter le changement, c'est accepter qu'il soit permanent, que plus rien ne soit figé*, sinon la vie qui a recommencé à proliférer retournera à la pourriture. Bien plus, *c'est admettre de ne pas être le centre* ; c'est plutôt entrer dans un mouvement qui nous donne une place, laquelle se modifiera sans cesse en fonction du temps, des circonstances et des personnes. Changer, c'est donc peu ou prou se laisser faire par une mobilité sans relâche.

Lorsqu'un thérapeute conséquent reçoit une personne, il lui signale dès l'abord que ce qui se passe entre les séances est bien plus important que celles-ci ; ce qui compte, c'est la modification de l'existence et non pas la compréhension de soi ou la détente que peut procurer la présence d'une oreille attentive. De même, lorsqu'un thérapeute qui utilise l'hypnose propose des exercices ou des tâches à accomplir, pendant le temps qui sépare une séance de l'autre, il indique par là que le patient doit prendre en charge sa propre transformation et que le soutien qu'il peut recevoir du thérapeute ne doit durer que le temps d'un apprentissage. Ce dernier commence pendant la cure, mais il doit ensuite se poursuivre comme le moyen de maintenir la souplesse et la vigueur nécessaires à prendre la vie à sa charge. La rencontre de l'imprévu est le lot de tout humain, qui doit donc s'y préparer sans cesse.

Au contraire, il arrive que des patients, satisfaits des résultats obtenus au cours d'une ou plusieurs séances se laissent aller à la tentation du repos. Alors il ne faut pas longtemps pour que les bienfaits obtenus se délitent et que les rigidités et les étroitesses antérieures réapparaissent.

Il est donc compréhensible que l'exigence d'une modification ininterrompue fasse peur et que, à sa vue, certains, peut-être nombreux, avec lucidité ou sans trop le savoir, renoncent à l'entreprise. Le renoncement porte sur la plongée décisive dans un univers qui ne cesse de se mouvoir et qui intime à la personne de s'y mouvoir elle-même. C'est probablement là un des aspects de ce l'on nomme le lâcher-prise. Si se lâcher est à craindre, c'est que pointe le risque de découvrir des repères que l'on ne se donne pas, mais que l'on reçoit sans pouvoir les appréhender au préalable, sans savoir ce qu'ils nous imposeront et où ils nous conduiront. Par le lâcher-prise, sans doute perdons-nous la maîtrise. Ce qui est plus inquiétant, c'est que, là où nous tombons, il y aura moins encore de maîtrise. Ou, alors, la seule maîtrise qui nous sera réservée sera celle octroyée par le mouvement des êtres, des choses et des événements que nous devrons apprendre à épouser sans pouvoir nous arrêter. Il n'y aura de maîtrise que dans son abandon au profit de la confiance que nous apportera un surcroît de clairvoyance et de force. Car celles-ci viendront à coup sûr, si nous laissons au vestiaire nos crispations et nos idées préconçues. Mais, de la venue de cette clairvoyance et de cette force, nous ne savons rien par avance. L'assurance ne peut venir au jour que par la perte des réassurances que nous nous donnons à nous-mêmes et à la recherche desquelles nous nous épuisons.

Basculement ou levier

Il est possible désormais de faire un pas de plus sur le chemin de l'intelligence du changement. Nous avons vu que les peurs conduisaient à le refuser. Mais de quoi est fait ce moment du refus qui peut, dans d'autres cas, être le moment de l'acceptation ? En d'autres termes, comment se construit ce temps du non ou du oui ? Comment la thérapie en arrive-t-elle à cet instant où un choix est possible, où il devient inévitable ? Ce temps ou cet instant, qui est le même dans le refus ou dans l'acceptation, comporte deux faces distinctes : le levier et le point d'appui. Pour qu'il y ait choix ou décision, il faut une force qui y pousse et un lieu d'impact où cette force puisse s'exercer à bon escient. Pour le dire tout de suite, la force est donnée dans et par l'état d'hypnose, le point d'appui, par la perspicacité du thérapeute ou du patient.

Dans le second cas évoqué plus haut, la patiente a pu pressentir que le bonheur et la liberté étaient à sa main, parce qu'elle avait, peut-être grâce à l'induction hypnotique, laissé de côté ses peurs ou, pour le dire autrement, parce qu'elle avait fait en acte l'hypothèse que son problème pouvait être résolu. Déjà, elle s'était placée dans l'au-delà de ses plaintes, en un lieu où celles-ci n'avaient plus de raison d'être. Elle avait ouvert un nouveau champ d'expérience et avait laissé venir, pour quelques minutes, la perspective d'une transformation. Ce qu'elle avait éprouvé alors, c'était une nouvelle existence et un nouveau système relationnel. Mais, cela, elle ne se l'était pas encore approprié. Elle avait surmonté un instant la peur du lâcher-prise et avait pu en soupçonner les effets bénéfiques ; mais une autre peur l'avait fait reculer lorsque, de cet abandon, elle avait mieux saisi les conséquences à moyen et à long terme, c'est-à-dire le bouleversement qui aurait atteint son statut parmi les autres et qui l'aurait déstabilisée.

Ce cas nous montre que l'on peut faire, grâce à l'hypnose (à moins que l'hypnose ne se réduise à cela), l'expérience de ce que serait l'effet du changement. L'induction a pour visée la destruction de notre système de coordonnées figé ou restreint et, par le fait même, de nous ouvrir, fût-ce quelques instants, à un nouveau complexe relationnel souple et ample. La force qui est alors ressentie naît du fait que nous ne disposons plus seulement de nos propres forces, mais de toutes celles qui nous sont octroyées par le réseau multiforme dans lequel nous sommes placés et par lequel nous acceptons d'être façonnés. La force ou la faiblesse d'un vivant humain est une fonction relationnelle. Si les liens aux autres et au monde sont limités en nombre et en qualité, ou bien s'ils reproduisent toujours les mêmes formes, nous demeurons exténués, au bord de la dépression ; si, au contraire, ces liens sont innombrables et toujours prêts à s'adapter aux fluctuations de l'environnement, alors la puissance est à notre porte.

Le lâcher-prise que suscite l'induction, dans une cure qui utilise l'hypnose, a précisément pour effet d'*ouvrir les portes et les fenêtres de notre demeure pour y laisser pénétrer le souffle porteur de toutes les formes d'autres vies*. On saisit par là que l'hypnose induite, ce que l'on nomme aussi l'état de transe, est très loin de se réduire à une agréable relaxation ; elle est par nature l'expérimentation d'une tonicité générale. La détente s'identifie au laisser-venir de l'extérieur tout ce à quoi nous nous opposions par notre pseudo-maîtrise, qui n'était qu'une fermeture. En revanche, la tonicité n'est rien d'autre que l'immersion dans les courants multiples auxquels est soumis un vivant dans son rapport avec tous les vivants. Là réside le secret de sa force.

Cette femme avait senti, du moins quelques instants, qu'étaient possibles pour elle le bonheur et la liberté. Mais cette manière d'être au monde, il restait à y adhérer. L'être humain est tel qu'il dispose de ce pouvoir extraordinaire de refuser ou d'accepter le flot de la vie qui lui est proposé, c'est-à-dire de continuer à végéter avec les maigres ressources qui lui sont allouées ou à croître en courant le risque de se perdre dans la surabondance des possibilités qu'il peut recevoir, mais jamais se donner. Il ne peut pas s'empêcher de penser et de ressentir que le changement se paie au prix fort de l'aventure.

Des deux faces que comporte le moment de la décision, la première, celle que j'ai nommée le levier, est désormais assez claire : c'est l'ouverture sans préalable à tout ce qui pourrait advenir, c'est la disponibilité qui permettra d'emprunter tout chemin profitable, c'est la flexibilité nécessaire pour adopter les comportements qu'impose la situation. Cela ne suffit pourtant pas pour qu'un changement soit opéré. La force a été réveillée, mais encore faut-il qu'elle s'applique quelque part. Un nouveau monde est à l'horizon ; il faut savoir de quel côté et sous quel angle il est opportun de l'aborder. Impossible de rester dans le vague d'une béance tous azimuts. La transe serait alors le seuil d'un état fumeux qui ferait le lit d'une complaisance. Il est question de changer la vie, non en général, mais dans ce qu'elle a de plus déterminé et de plus limité. En d'autres termes, pour reprendre la comparaison proposée plus haut : nous disposons du levier, mais où se trouve le point d'appui ?

Point d'appui

Un homme était venu me voir parce qu'il souffrait d'angoisses persistantes dont il ne soupçonnait pas les raisons. Après une première séance où je lui avais proposé de ne pas résister à ses angoisses, mais de les laisser se répandre dans son corps, il avait été quelque peu soulagé. Mais, après la deuxième, où pourtant il avait, après un long temps, desserré ses mains en signe d'accueil, les angoisses étaient revenues comme auparavant. Je m'étais trompé. Ces angoisses n'étaient pas le bon point d'appui susceptible d'opérer un changement profond et durable. Il fallait repartir de zéro. Au cours d'une conversation sans but, soutenue par mes nombreux silences, un fond de ressentiment avait fait surface. Il en voulait à sa femme et à son entourage. Il avait la certitude de n'être pas reconnu à sa valeur. Finalement l'impression d'injustice de l'existence s'était reportée sur les parents qui ne l'avaient pas aimé comme il l'aurait attendu. Effondrement de tristesse dans un abîme de regret. Il a suffi alors que cet homme habite sa peine et la quitte au même instant comme dérisoire et vaine pour qu'il accède à quelque sérénité.

Là était le point d'appui, c'est-à-dire le point par lequel tous les traits du mal-être tenaient ensemble et sur lequel il fallait faire pression pour que soit modifié tout le paysage. *Quand on veut soulever, pour le déplacer, un bloc de rocher avec un madrier, il faut tourner un moment autour du bloc avant de trouver l'espace convenable pour glisser le madrier. Ainsi en est-il en thérapie.* Il faut tourner autour du patient ou qu'il se tourne et retourne lui-même pour découvrir la plage de souffrance secrète, l'abcès qui ne cesse de produire le pus qui empoisonne tout le corps et toute la vie. C'est à ce point que l'on doit s'arrêter, après avoir parfois tâtonné pour le trouver. C'est ce point que l'on doit trancher pour crever l'abcès. L'opération se fera sans dommage si le scalpel est aiguisé, c'est-à-dire si la disponibilité acquise par la transe est à son optimum.

Le chat qui se repose

Nous disposons donc maintenant des deux facteurs nécessaires à la décision du changement : le levier qui est la transe elle-même et le point d'appui qui se présente comme le lieu géométrique de tous les ennuis. Ce point stratégique est découvert par un travail conjoint du patient et du thérapeute. Mais cette découverte ne peut avoir lieu que si l'un et l'autre la trouvent sans chercher. Il s'agit d'une démarche conjointe sur fond de découragement, car les tentatives précédentes se sont soldées par des échecs. Dans le cas cité plus haut, les angoisses étaient revenues, et ni le patient ni le thérapeute n'en soupçonnaient la raison. L'un et l'autre donnaient leur langue au chat et avaient abandonné la recherche. Ce qui avait été accompli jusqu'alors avait été sans effet. On pouvait le regretter, mais on n'y pouvait rien. C'est dans ce climat résigné et quelque peu débonnaire que l'attention se déplace çà et là, et en même temps s'aiguise. On n'est plus en quête, mais on ne perd de vue aucun des détails qui flottent au hasard. Un peu comme le chat qui se repose, fait semblant de dormir, somnole

39

même et cependant reste attentif aux moindres indices qui pourraient le renseigner sur l'approche de sa proie. Donc vigilance aussi diffuse que précise, aussi décontractée que concentrée.

Un homme est bouleversé depuis des années par tout contact avec la femme qui l'a quitté, contacts rendus nécessaires par le soin des enfants. Il s'épuise en conjectures sur les raisons de ce départ, dans un mélange de jalousie et de rancœur. Il parle sans rime ni raison, décrivant une tristesse dont il pense qu'elle ne pourra l'abandonner. Sans lui prêter plus d'importance qu'au reste de son récit, il émet cette phrase : « Et pourtant, aujourd'hui, je me sens détaché ; je ne la voudrais même pas comme une amie quelconque. » Le thérapeute très présent et toutefois détendu ne laisse pas passer ces mots. Il sait à coup sûr que, sur eux, on va pouvoir faire fond. Là est le point d'appui qui va permettre le changement. Il demande alors à son interlocuteur de répéter cette phrase, en prenant son temps pour s'y investir tout entier. Que le patient répète encore une fois et même plusieurs cette courte séquence en y inscrivant son corps, son cœur et son esprit, qu'il y jette en même temps sa jalousie et ses rancœurs. Cet homme est brusquement délivré, et les semaines qui suivent confirment cette modification.

La décision de changer n'a pas eu besoin d'être isolée dans un moment particulier. Le patient se savait disponible pour un changement éventuel, mais il ignorait quand et comment ce dernier pouvait advenir. De son côté, le thérapeute n'a pas songé à recourir à une quelconque stratégie pour amener le patient à sortir du mauvais pas où il s'était engagé. Le hasard et la chance font très bien les choses dans la mesure où l'un et l'autre des protagonistes sont prêts à saisir leur chance et à transformer le hasard en rigueur. Il suffisait de laisser le patient balayer son aire relationnelle dans toutes les directions et à toutes les profondeurs et que le thérapeute s'autorise à être sans intention et sans prétention d'imaginer ou de suggérer une solution. C'est au sein du désarroi de l'un et de l'autre que le moment de la décision du changement pouvait seul émerger. Il était nécessaire que fût défait l'arroi, cet équipage et cet appareil dont on croit utile d'accompagner la cure.

Ce mélange de décontraction et de précision, qui fait tout l'art du thérapeute, est rendu possible par une qualité d'attention qui prend tout en compte à la fois. Le chat qui est à l'affût tient en éveil tous ses sens qui captent, comme autant de radars, les moindres signes. Mais ces signes demeurent dans une indétermination généralisée, dans l'attente qu'ils se cristallisent d'eux-mêmes en un lieu et sous une forme particuliers. Le thérapeute est comme le joueur qui lance les dés à toute vitesse un nombre infini de fois et qui est sûr à un moment ou à un autre de voir sortir le double six. Sa stratégie est de surtout ne pas en avoir, de parcourir tous les possibles et toutes les hypothèses sans s'arrêter à aucune. C'est au sein de cette agitation tranquille que la chance pourra éventuellement lui sourire. Il tente à la fois toutes les chances, c'est-à-dire qu'il laisse aller à leur guise toutes les connexions. Par là il offre à la situation mise en mouvement le pouvoir de se stabiliser, lorsqu'une configuration aura tenu compte de tous les éléments en présence et qu'elle pourra être saisie tout entière en un point.

Mais pourquoi, à partir d'un seul point, la modification de l'ensemble est-elle possible ? Ici la petite phrase : « Et pourtant, aujourd'hui, je me sens détaché ; je ne la voudrais même pas comme une amie quelconque. » Cette phrase est dite en passant, comme avec négligence. Elle marque un état réel, mais qui n'a pas été pris en compte. Cet état exprime la rupture décisive qui est recherchée, mais il est recouvert par une série de sentiments qui sont là pour éviter le changement. Il faut donc le mettre en pleine lumière et s'en servir comme point d'appui pour y appliquer le levier. Tout le reste de l'existence en sera modifié.

À quoi sert l'hypnose

Le levier de l'hypnose est donc utilisé à deux moments distincts. Il y a d'une part celui qui précède la découverte du point d'appui. Il est nécessaire pour baliser le champ où ce point d'appui serait susceptible d'être découvert. Il y a d'autre part un levier qui suit la découverte du point d'appui et qui permet d'investir de sa force la décision qui s'impose. En d'autres termes, l'induction place quelqu'un dans un état de disponibilité qui permet de flotter autour du problème à résoudre ou qui permet de mener une recherche à l'aveugle. Quand le point névralgique est trouvé, l'hypnose devient une attention extrême à ce point et un engagement qui va produire la modification.

Un autre cas permettra de mieux voir encore le processus à l'œuvre et comment un élément en apparence secondaire entraîne la possibilité du changement de l'ensemble de l'existence. Une femme était venue me voir il y a quelques mois pour une seule séance. Elle en avait tiré profit. Elle revient parce qu'il lui semble que sa vie est arrêtée. Elle tourne en rond sans aboutir. Un exemple : elle cherche un appartement et, après une série de recherches vaines, elle se trouve dans l'appartement qu'avaient habité ses parents dans sa petite enfance, le seul disponible dans un secteur où les prix sont pour elle abordables. Retour en arrière marquant la stagnation qui la trouble. De même, elle circule dans son travail entre trois lieux qui circonscrivent en triangle les différentes habitations des membres de sa famille la plus proche. Tous ces périples racontés ne nous conduisent à rien. Je ne saisis pas ce que l'on peut en tirer, si ce n'est que, d'imprévus en imprévus, elle manifeste un art des pressentiments. Incontestable finesse de perceptions.

Puis elle passe à sa vie sentimentale qui est une série de rencontres finalement avortées. Au cours de son récit, elle parle d'un homme qu'elle a mis dehors à cause de son inconstance, et elle ajoute : « S'il revenait, je ne sais pas si je refuserais ou accepterais de reprendre des relations avec lui. » Je l'arrête pour lui indiquer – ce qui n'est pas très sorcier à découvrir – qu'elle est encore liée à cet homme, de telle façon qu'elle n'est pas libre de son choix et que, peu importent son refus ou son acceptation éventuels, l'un et l'autre la conduiraient à un nouvel échec. C'est là le point d'appui ou le point névralgique. Pour en tenir compte, elle veut bien utiliser le levier que serait l'épreuve de ne plus se poser la question, car la question à elle seule est un venin. Immédiatement, elle se sent délivrée de son immobilisme et n'éprouve pas le besoin de revenir.

Ce cas montre clairement que l'on ne peut décider que dans l'indépendance à l'égard des deux termes ouverts au choix, que dans l'indifférence à l'égard de l'un et l'autre. Ce qui se traduisait pour elle en ces termes : cela m'est égal qu'il revienne ou qu'il ne revienne pas, donc je ne l'attends plus, je suis libérée de ce lien. Pour effectuer cette indépendance, il faut recourir à l'hypnose, qui est la disponibilité à tout et en particulier à l'égard des contraires qui se présentent. Sans cette indépendance, c'est la fermeture en laquelle on tourne en rond.

Indifférence à la guérison ?

Une dernière question doit être soulevée maintenant, bien qu'elle soit reprise dans les pages qui suivent. Pendant tout le temps de la recherche du point d'appui, le thérapeute doit abandonner tout souci de la recherche du point d'appui, du lieu à partir de quoi l'existence tout entière pour aujourd'hui va pouvoir pivoter sur elle-même et ouvrir une voie nouvelle. Il doit pousser l'indifférence plus loin encore : il doit être indifférent au résultat et s'attendre tout aussi bien à un échec qu'à un succès de la cure. Sinon, il télescoperait le moment du choix, qui est décisif ; il prendrait la place du patient et se livrerait à un forçage irrespectueux et inefficace. On l'a vu, le patient doit toujours pouvoir renoncer à guérir de son mal-être si cela lui chante. Mais alors comment l'indifférence du thérapeute à l'égard du résultat est-elle compatible avec le désir de guérir, car sans ce désir le thérapeute devrait faire un autre métier. Comment puis-je à la fois vouloir réussir pour que mon métier ait un sens et être indifférent à cette réussite ?

Je pense qu'en ces termes le problème est mal posé. La thérapie que nous pratiquons ne me semble pas avoir pour but premier de faire disparaître chez nos visiteurs leur mal à vivre ; elle a pour visée de susciter chez l'humain qui nous rencontre le plus haut de l'humanité, c'est-à-dire son pouvoir à l'égard de sa vie et de sa mort. Il y a de nombreux humains qui se laissent mourir et d'autres qui se laissent vivre. *Ce qui nous passionne, c'est d'amener quelques-uns avec la plus grande lucidité et le plus grand courage possibles à décider de leur vie et de leur mort.* Et il importe peu, pourquoi ne pas le dire crûment, que ce soit la mort qui soit décidée. Je sais bien qu'un médecin doit vouloir maintenir son patient en vie et qu'il doit s'y employer. Je sais bien également que la loi nous impose l'assistance à personne en danger. Mais cela, c'est le devoir de tout humain ; cela ne dit rien de la spécificité de notre travail de thérapeute. Soutenir quelqu'un pendant le temps qui est nécessaire, ce n'est pas encore toucher au plus haut de l'humain, qui est également le plus élémentaire.

Quand nous avons conduit quelqu'un au seuil du choix décisif, notre tâche est accomplie. Qu'il choisisse la vie ou la mort, ce n'est pas de notre ressort. Impossible de se substituer à lui. Nous devons demeurer au seuil de sa maison sans y pénétrer. Demeurer au seuil de l'autre, exactement comme nous devons nous établir chaque jour au seuil de nous-même, et attendre qu'il décide s'il veut aller à l'orient de sa vie ou à son couchant mortel. Alors il n'y a pas de différence entre se tenir dans un état d'indifférence au résultat et se tenir prêt à recueillir un refus ou une acceptation. Nous ne voulons pas guérir, nous ne voulons pas que l'interlocuteur se tourne vers la vie, vers le renouvellement de son existence, donc vers le changement favorable. Nous voulons seulement qu'il en décide. Et c'est pourquoi nous ne pourrons jamais nous prévaloir de la bonne issue d'une cure, c'est lui qui l'a opérée. Nous n'aurons pas davantage à nous désoler de nos revers qui ne sont pas notre fait, si du moins notre présence, notre intelligence et notre détermination ont poussé notre visiteur à la croisée des chemins.

2

Indifférence au succès

Pourquoi faudrait-il considérer l'indifférence au succès comme l'un des moteurs les plus puissants d'une thérapie ? N'y a-t-il pas là une manière curieuse d'envisager cette tâche ? Si un patient vient consulter, c'est bien pour que son mal soit apaisé ou guéri. Comment le thérapeute pourrait-il ne pas souhaiter répondre à la demande qui lui est adressée ? Oui, mais, dans ce que l'on nomme psychothérapie, on ne se trouve pas, comme en médecine, dans un rapport de soin où le praticien propose des remèdes que le malade accepte en les subissant ou en se les appliquant. On pourrait penser que c'est cependant la même chose : le psychothérapeute dispose de techniques appropriées qu'il offre au patient de mettre en pratique. Les techniques, on y reviendra tout à l'heure, ont bien pour visée de produire un résultat, et ce résultat sera bien le succès de l'entreprise. Inutile donc de faire croire que le thérapeute pourrait et, bien plus encore, devrait être indifférent au succès.

Qu'est-ce qu'une psychothérapie ?

En psychothérapie, quelle que soit sa forme, il se présente une difficulté majeure que nul ne peut ignorer : il n'est pas certain que le patient veuille ce qu'il demande. Les cas sont nombreux où il en est ainsi. Si, par exemple, un homme est poussé par sa femme, ou à l'inverse une femme par son mari, à entreprendre une thérapie, parce qu'il ou elle aspire à une modification de leurs rapports, il ou elle se prête au jeu, mais ne fait rien pour changer. Sa thérapie lui sert d'alibi pour laisser la situation en l'état. Il a accompli la démarche et prouvé par là sa bonne volonté. Que peut-on lui demander de plus ? Combien d'autres utilisent le cabinet du psy pour dévider inlassablement leur plainte, mais nullement pour aller mieux ? Ou, encore, on rencontre des personnes pour lesquelles a été formulé le diagnostic de douleur chronique ; elles souffrent réellement, parfois à la limite du supportable. Elles se prêtent volontiers aux exercices qui devraient les soulager. Elles en sont même souvent très satisfaites, mais elles gardent, en apparence précieusement, leurs maux. Ce clivage leur convient, et elles n'ont aucun souci d'y mettre un terme.

De tels propos, qui jettent la suspicion sur la sincérité des patients ou du moins sur l'authenticité de leur demande, peuvent paraître manquer du plus élémentaire respect. Ce serait oublier que *les humains tiennent plus à leurs souffrances qu'à leur bonheur* et qu'ils sont capables des plus subtiles inventions pour les entretenir. Si les humains cherchaient le bonheur, il y a longtemps que cela se saurait. Sans doute veulent-ils préserver ce qu'ils connaissent fort bien et ne pas courir le risque immense de recevoir ce qui ne dépendra pas d'eux en totalité. Pourquoi le thérapeute devrait-il vouloir des succès auxquels ses patients ne tiennent guère ? Son indifférence au succès semble donc justifiée sous cette première forme. Elle nous conduit à en envisager une seconde.

Dans les cas précédents, l'ambiguïté de la demande était implicite, et il n'y avait pas à la lever plus que ne le souhaitaient les patients. Il en est d'autres cependant où elle se formule avec une merveilleuse clarté. J'ai mentionné, au chapitre précédent, le cas exemplaire d'une femme abandonnée par sa mère à la naissance qui se disait incapable de bonheur à cause de ce commencement désastreux, bien qu'elle ait été élevée par une famille adoptive avec toute l'affection et l'intelligence possibles. Elle avait pourtant accepté, au cours d'une première séance, d'imaginer son existence sous des couleurs moins sombres. Revenue quelques semaines plus tard, elle avait expliqué qu'elle avait bien expérimenté alors la possibilité d'une vie heureuse. Mais cela lui aurait demandé de changer tant de choses dans sa vie qu'elle préférait renoncer. Son compagnon l'entourait comme une petite fille perdue, ses amis l'écoutaient volontiers ressasser son histoire. Qu'allait-elle devenir si elle devait modifier toutes ces relations ? Elle ne voulait toucher à rien et puis, me disait-elle, pouvais-je lui garantir que le bonheur entrevu serait durable ? Elle avait donc pris congé.

Le thérapeute peut bien dans ces cas être indifférent au succès, car l'échec oriente les projecteurs sur un moment capital de toute thérapie, celui du choix solitaire. L'indifférence au succès en devient la condition nécessaire. Tant que le thérapeute veut soutenir le patient, la béquille qu'il lui propose ne fait que différer le temps où celui-ci devra marcher seul, ce qui inclut le risque de tomber. À quoi se résume, en effet, le succès d'une thérapie si ce n'est, pour le patient, à la possiblité de transformer la passivité à l'égard de ce qui lui arrive en détermination et en initiative ? Or la relation d'aide risque sans cesse de retarder cet instant de retournement, celui, toujours le même, du petit enfant osant quitter les bras qui le portent ou la main qui le guide et se confier à ses propres jambes. Ces bras et cette main qui s'écartent courent le risque de voir tomber et que se fasse mal celui qui était venu pour éviter cette chute. Une recrudescence de ses souffrances peut avoir lieu.

La question se pose alors de savoir si le thérapeute doit attendre le moment favorable pour faire jouer son indifférence au succès et donc ne prendre jamais qu'un risque mesuré. Il y aurait ainsi un temps où l'aide serait première, et la prise de risque seconde. Puis un temps où le risque serait porté à un degré maximal. La prudence la plus élémentaire réclame de répondre positivement à cette question : on ne laisse pas un enfant s'aventurer dans des actions qui dépassent ses capacités, et, pas davantage, on ne doit abandonner un patient à une solitude prématurée. Mais cette réponse positive recèle une ambiguïté. Qu'adviendrait-il à un enfant si les parents ne voulaient pas déjà, dès la naissance, qu'il puisse un jour marcher et s'en aller ? Le cas n'est pas chimérique de père ou de mère qui compromettent l'avenir de leur enfant par une surprotection ininterrompue. Il en est de même pour les thérapeutes incapables d'imaginer la fin, c'est-à-dire le commencement de leur inutilité. Or cette inutilité commence dès le début. Toute aide qui ne serait pas sous-tendue, au principe, par ce que je nomme l'indifférence au succès ne ferait en apparence courir aucun risque ; elle ne pourrait cependant, sans risque, qu'assurer l'échec parce qu'elle rendrait l'aide indéfiniment nécessaire. Au contraire, poser d'entrée de jeu, comme déjà réalisée dans sa potentialité, la fin, c'est-à-dire la séparation et la solitude, c'est sans doute mettre le patient face au risque maximal, risque qui pourra dans la pratique être

nuancé en fonction des personnes et des circonstances, mais c'est également respecter ce que, comme
être humain, il a de plus précieux.

Ce plus précieux est apparu lorsqu'il a été question de cette femme qui ne voulait pas d'un bonheur
qu'elle entrevoyait et qui était susceptible de boule-
verser son existence sans pour autant durer. Elle avait
été conduite au seuil d'une décision qui pouvait la
situer de façon tout autre à l'égard de son passé, mais
qui lui ouvrait un futur à risque, car rien ni personne
ne pouvait lui garantir que son inconfort à vivre dispa-
raîtrait à jamais. Arrivé à ce point, le patient ne peut
pas ne pas avoir peur, ne pas être pris d'angoisse. Le
thérapeute est alors tenté d'atténuer la crudité du
dilemme (reculer et s'enfuir ou bien sauter et risquer
de se casser le cou), ou de proposer son soutien lors du
passage. Il peut lui sembler qu'il respecte le patient :
comment ne pas faire quelque chose pour quelqu'un
qui a peur ou qui est angoissé ? En réalité, c'est lui
qui a peur et qui ne supporte pas le vertige de la
liberté. « La décision est une folie », disait Kierke-
gaard. Qui n'en a pas senti le risque ne saurait tenir
ferme lorsqu'un autre sous ses yeux l'affronte.

Exercice de l'impuissance

L'indifférence au succès va devoir prendre maintenant la forme de l'impuissance. Lorsqu'on a été en intense relation avec quelqu'un – ce qui n'a pas besoin d'un long temps –, on pense qu'il ne faut pas le lâcher à l'heure où il risque sa vie. C'est là se draper dans les bons sentiments et s'agiter dans sa propre crainte en invoquant des paroles consolatrices. *Face à la liberté qui va peut-être s'exercer, le seul respect convenable se traduit dans le renoncement à tout pouvoir.* Le pouvoir que le patient m'avait octroyé en espérant par là éviter le risque, je dois le lui rendre et n'en faire aucun usage. Je ne peux pas ne pas souhaiter qu'il fasse le pas, car c'est l'intérêt et la passion de mon métier ; et, cependant, je dois me tenir ici à la fois présent et à l'écart, m'installer tranquille dans mon incapacité radicale. La relation du thérapeute au patient n'est pas interrompue ; elle ne peut pas avoir au contraire plus de densité, mais elle s'abstient de peser en quoi que ce soit, de prendre quelque peu la place de l'autre et même de le comprendre. *Le patient est seul sans être isolé*, puisque j'attends qu'il prenne le risque. L'indifférence au succès n'est donc pas une absence.

Cette indifférence devient le corrélatif du pouvoir de décision du patient. Elle contribue à le mener à l'optimum de la puissance. Plus l'aide tend vers zéro, plus elle est efficiente, ou bien plus le risque est couru, moins il a lieu d'être. Il est normal que le thérapeute pense justifier à ses propres yeux son rôle en multipliant les suggestions, en proposant des solutions, en expliquant les tenants et aboutissants de la situation, en cherchant à nommer un sens des événements. S'il écoute les propos du patient, ce doit bien être, pense-t-il, pour en faire quelque chose. Il ne pourrait, lui semble-t-il, s'installer dans l'impuissance, dont il vient d'être parlé, sans risquer de faire surgir de part et d'autre l'angoisse du silence. Et pourtant, dès le début, dès le premier contact, c'est déjà la nécessité de la décision du patient qui doit être mise en jeu et la nécessité pour le thérapeute de ne jamais usurper la place du patient. *Il s'agit de créer un espace de risque dans lequel le patient n'aura nul besoin du thérapeute, et le thérapeute de son côté encore moins besoin du patient pour se donner à croire à son importance.* Mais comment cela est-il possible puisque l'un et l'autre, chacun à sa manière, ont besoin de l'interlocuteur ?

Il faut d'abord considérer que toute psychothérapie est facultative. Des études ont été menées selon les méthodes en vigueur dans les laboratoires de psychologie. Elles montrent que, dans un nombre de cas non négligeable, l'absence de thérapie, par exemple pour raison de liste d'attente ou de défaut de financement, donnait d'aussi bons résultats que les thérapies elles-mêmes. Comment rendre compte de ce phénomène ? Ce qui est commun à ceux qui ne font pas de thérapie et à ceux qui en font, c'est l'aspiration au changement. C'est là le moteur indispensable. C'est donc bien lui qu'il s'agit d'activer. S'il est absent, aucune modification n'est possible, s'il est présent, la rencontre avec un thérapeute peut ne pas être nécessaire. Alors pourquoi une thérapie ? J'ai remarqué que parfois ou même souvent, ce que viennent chercher les patients, c'est l'autorisation de transformer leur existence. Ils n'osent pas prendre le risque d'un abandon de leurs habitudes, abandon qui n'est pas sans provoquer des troubles sur leur environnement ou sur leur entourage. Ils viennent demander s'ils ont raison d'emprunter des chemins qui s'imposent à eux, mais qui ne sont pas sans risques. Une femme est venue me voir un jour pour me dire les difficultés de sa vie et m'exposer les solutions qu'elle avait mises en œuvre. Après quelques quarts d'heure, elle s'était interrompue : elle avait compris qu'elle m'avait demandé un rendez-vous pour valider sa transformation. Seule, elle avait déjà pris des risques, mais il lui fallait le dire à quelqu'un pour s'apercevoir qu'elle n'avait besoin de personne pour poursuivre. Le thérapeute ne serait pas plus qu'un notaire qui enregistrerait un contrat déjà signé et déjà en vigueur, et qui aurait seulement à y apposer son sceau. Cette femme devait rencontrer quelqu'un qui socialiserait ses décisions. Comment, sous cette forme encore, le thérapeute ne serait-il pas indifférent au succès puisqu'il n'y a pris aucune part ?

Il faut maintenant se demander ce qui est exigé du thérapeute pour qu'il puisse se tenir au seuil de la liberté du patient et considérer le risque extrême qu'il doit prendre pour lui-même. Comment peut-il être là dans la plus grande acuité d'une présence tout en ne faisant rien parce que faire quelque chose serait toujours exercer un pouvoir ? Cela est sans doute une limite, mais de quoi est-elle faite ? On peut le dire d'un mot : pour que soit possible le surgissement de l'autre dans sa liberté, le thérapeute doit atteindre à l'impersonnalité. Travail de soustraction jamais achevé.

Impersonnalité

Il doit d'abord renoncer à faire un diagnostic. Car il enfermerait le patient dans des généralités, alors que cette personne qui est en face de lui ne ressemble à aucune autre. Il ne peut sans doute pas s'empêcher, surtout au début de sa pratique, de situer le patient dans le cadre des données psychopathologiques qu'il a apprises durant ses études de psychiatre et de psychologue. Mais il doit se rendre compte que cet exercice est fait pour le protéger. Le patient qui entre dans son bureau ou dans son cabinet est fatalement un intrus qui réclame attention et qui le sort de ses préoccupations. Impossible pour lui de ne pas se méfier et de ne pas fourbir les armes dont il dispose. Comme thérapeute, il me faut tout de suite imposer un cadre que le patient devra respecter, et le diagnostic est un bon moyen de dresser des barrières. Oui, mais comme cette personne est singulière et qu'elle veut déployer ici cette singularité, je l'inhibe en l'affublant de vêtements *ready made* qui ne lui vont qu'à moitié ou pas du tout.

Il va falloir également renoncer aux techniques apprises. En tant qu'elles sont le résultat ou la codification d'expériences effectuées antérieurement par d'autres, on ne saurait les négliger. Mais ce que l'on omet justement de reconnaître, c'est qu'elles ont été mises au jour et inventées dans des circonstances particulières par quelqu'un de particulier pour répondre à des demandes particulières. C'est alors qu'elles étaient efficaces, car elles étaient produites en fonction des personnes, des lieux et des temps. C'étaient non pas des techniques, mais des réactions appropriées de tel thérapeute au sein de telle interrelation. Que se passe-t-il si on les généralise et les utilise en dehors du contexte où elles ont été créées ? Sans doute le thérapeute est-il rassuré. Il ne prend pas de risque en proposant une procédure qui a fait ses preuves et qui a été recommandée par des maîtres. Mais, en ne prenant pas de risque, en répétant la leçon apprise, le thérapeute court un risque plus grand, celui d'offrir une formule qui, justement parce qu'elle vient d'ailleurs, ne convient pas à ce patient à ce moment-là. Que l'on s'initie à diverses techniques dans une école ou une association, ou que l'on passe de l'une à l'autre pour élargir son horizon ou pour assouplir et complexifier ses modes de réaction, ce peut être précieux. Mais une cure ne peut produire de véritables effets qu'à la condition d'oublier tout ce dont on a fait l'apprentissage, afin que les restes de cet oubli puissent servir à faire naître des propos et des attitudes en adéquation aux personnes et aux circonstances. Cet oubli écarte l'utilisation de ces techniques pour éviter l'incertitude ; il ouvre en revanche la voie à une richesse d'invention.

Précisément, face au patient, à chaque séance, tout est à recommencer, parce que nous devons nous placer dans le risque au principe de l'inventivité. Ayant renoncé au diagnostic et aux techniques ou les ayant fondus dans l'oubli, le thérapeute se tient ferme, au bord d'un risque plus grand, celui du renoncement à son expérience acquise ou à son éventuelle compétence. *Aujourd'hui il ne sait plus rien, car tout savoir préalable serait un obstacle à la réception de ce qui aujourd'hui importe : laisser ce patient exister dans sa singularité.* Sans doute le thérapeute qui a traversé l'échec et la réussite, la haine et l'amour, la peine et la joie sait-il quelque chose de ce qui est le lot des humains. Mais il doit maintenant n'en savoir plus rien. Il risquerait de déchiffrer avec les codes qui ont pu lui convenir ce qui a eu lieu pour l'autre dans des contextes différents. Encore une fois, c'est dans l'oubli de ce qu'il est et de ce qu'il a pu vivre que le thérapeute pourra faire écho à ce que l'autre lui présente de spécifique, de nouveau et d'imprévu.

Je ne suis que ce que je sens

À quel lieu conduit ce triple renoncement au diagnostic, aux techniques et à l'expérience ou à la compétence ? À celui du risque extrême, celui de l'impersonnalité, c'est-à-dire à la perte du moi, là où l'indifférence au succès est à son comble parce que cette question ne se pose plus. Mais que signifient impersonnalité et perte du moi ? À ce stade, le thérapeute s'est dépouillé de ses savoirs et de ses jugements, son intelligence a été mise en suspens de même que sa volonté d'aboutir à quelque résultat. Il ne poursuit aucun but et n'a aucune intention. Que reste-t-il ? Il ne flotte tout de même pas dans l'air. Non, il est seulement réduit à la sensorialité. Mais de quelle sensorialité s'agit-il ? Certainement pas de la sensorialité ordinaire, qui permet de percevoir les choses et les êtres et de se situer dans le monde, de devenir un sujet en face d'objets, de saisir les connexions, les causes et les effets. Il en existe une autre qui est impersonnelle parce que le moi y disparaît. Je ne suis que ce que je sens, c'est-à-dire que je ne suis plus que par le sentir, que mon intériorité ne se distingue pas de mon extériorité, et, à l'inverse, que l'extérieur m'est intérieur. Toutes les différences imposées par l'espace et le temps sont abolies.

L'étrangeté de telles affirmations est accentuée par l'orientation d'une culture qui tend à déléguer à des machines ce qui était dévolu aux sens. Les humains d'aujourd'hui estiment spontanément que l'individu est un sujet parfaitement distinct des objets qui l'environnent. Il est impensable pour lui que sujet et objet soient en quelque manière mélangés. Or, d'une part, pour ceux que nous avons nommés des primitifs il n'y a nulle contradiction à penser que nous sommes des humains, mais tout aussi bien des animaux et des plantes, que nous sommes ici et en même temps là-bas. D'autre part, pour des Asiatiques, par exemple pour des tireurs à l'arc japonais, il va de soi que la flèche, avant d'avoir quitté l'arc, est déjà au centre de la cible, qu'il n'y a pas vraiment de distance entre l'un et l'autre, sinon il serait impossible de tirer et d'atteindre le but les yeux fermés. Dans tous ces cas, c'est le type autre de sensorialité qui est mis en jeu, ce qui suppose l'abandon de toute intentionnalité, la perte d'un moi qui vise et dirige l'opération, bref, une impersonnalité qui participe au mouvement, qui est le geste accompli et qui ne peut s'en distinguer.

Alors le thérapeute serait-il invité à effectuer cette régression, cette chute dans le sensoriel séparé de ce que l'on nomme les facultés supérieures, cet abandon de ce qui fait sa personnalité et sa subjectivité, son intériorité inaliénable ? Ne serait-ce pas lui ouvrir la voie de la folie et d'un risque extrême ? Il faut noter tout d'abord que nous faisons chaque nuit ce genre de retombée, lorsque nous acceptons le sommeil et que nous nous en trouvons fort bien. Mais il n'est pas question ici de sommeil ; le thérapeute ne s'endort pas, il est en état de veille. Or, dans la veille, la sensorialité autre dont il est parlé ici existe-t-elle ? Non seulement elle peut exister, mais elle est constamment présente. Elle constitue la plage continue sur laquelle la perception ordinaire découpe certains éléments pour les penser et les rendre utilisables au sujet qui va en faire des objets.

Il y aurait folie si cette sensorialité autre, qui est en réalité première, s'abstrayait non plus par exercice et par jeu, mais sérieusement et définitivement du reste de l'individu. Il faut comprendre au passage l'intérêt de cette distinction entre deux types de sensorialité ou de perception. Nombreuses sont les personnes aujourd'hui, que l'on catalogue comme états limites et qu'il vaudrait mieux nommer frontaliers, qui ont avec la réalité un rapport incertain. Elles s'étonnent et s'inquiètent d'être envahies de sensations ou de perceptions qu'elles ne peuvent pas dire et partager avec d'autres sous peine d'être taxées de folie ou d'aliénation. Si elles sont au contraire entendues comme porteuses d'un don ignoré de la plupart, don qui peut rendre leurs relations aux autres plus avisées et aux choses mieux adaptées, elles peuvent s'apaiser et avoir moins peur de leur différence. Les autres, qui semblent se mouvoir sur une autre planète, ont simplement recouvert cette sensorialité autre[1] et en viennent à ignorer qu'elle existe.

Si elle n'existait pas, il n'y aurait aucune chance pour un patient de modifier quelque chose, c'est-à-dire en particulier de quitter ses manières habituelles de penser et d'agir pour en acquérir d'autres. Ce qui fait obstacle au changement, c'est notre façon répétitive de percevoir et de comprendre les choses de notre existence. Or ces stéréotypes sont soutenus et consolidés par des pensées et des jugements qui ne sont plus en contact avec les fluctuations de la vie. *Notre sensorialité est endormie par nos savoirs préalables.* Pour la réveiller, il faut la couper de ceux-ci et même de tout ce qui fait l'exercice de notre intelligence et de notre volonté, il faut lui rendre sa liberté et la possibilité d'inventorier en tout sens à sa guise. Cette perte de contrôle fait peur, et il est donc normal que le patient redoute de s'y laisser aller. Il s'y engagera plus volontiers, mais ce n'est pas automatique, si le thérapeute l'y précède.

C'est là une fois encore que l'indifférence au succès va tenir son rôle. Pour ouvrir au patient le champ des possibles, dont il craint qu'ils surgissent, le thérapeute doit se tenir dans une double ignorance, celle du but et celle des moyens. Il ne sait pas

---

1. Sur cette sensorialité, voir chap. 7 : « Une relation dans le champ sensoriel ». Hegel lui a donné un statut philosophique et en a fait un concept sous le nom d'âme sentante : *Le Magnétisme animal*, Paris, PUF, 2005.

si quelque chose de nouveau va venir au jour et pas davantage sa teneur éventuelle. Il ne sait pas non plus par quelles voies il y sera accédé. Il en est donc réduit dans son attente, faite de renoncements et de pertes dont il a été question plus haut, à valider au fur et à mesure le chemin qui est en train d'être parcouru. Il guide parce qu'il confirme chaque pas après qu'il est fait, en aucun cas parce qu'il indiquerait ce qui doit être fait ou pensé.

Pourquoi alors le thérapeute devrait-il entrer dans cet état où il ne peut indiquer au patient ni un but ni les moyens de l'atteindre ? Paradoxalement, cette nudité et cette chute en deçà des projets sont le lieu de la force et de la puissance. Comme l'indifférence au succès n'est pas l'indifférence à la personne, ce que transmet alors le thérapeute, c'est *une invite au patient ou une pression sur lui pour qu'il se mette dans le même état, qu'il ne compte plus sur le pouvoir de sa conscience ou de sa bonne volonté, mais qu'il laisse monter en lui à travers le désir de changer ce que d'abord il soupçonne à peine et dont il a peur parce qu'il va être dépassé par ce qui est en lui, mais dont il ne dispose pas à son gré.* L'expérience qui est proposée est étrange parce qu'elle se dirait dans des expressions absurdes : « Empruntez un chemin que vous ne connaissez pas pour aboutir en un lieu que vous ignorez pour y faire quelque chose dont vous êtes incapable. » De telles phrases en apparence vides de sens, qui donnent l'impression de courir un risque extrême, ouvrent pourtant, lorsqu'elles sont entendues et mises en œuvre, un espace de liberté et de plaisir où l'existence pourra être renouvelée.

Si le succès n'est pas mon fait et s'il n'est pas non plus le fait du patient, puisqu'il s'est laissé aller à faire advenir ce qu'il ne pouvait soupçonner ou imaginer, où est passée la cause ? Poser la question en ces termes, c'est revenir à la perception ordinaire, celle qui veut que tout effet ait une cause. Je me souviens d'un homme qui était venu me voir pendant de longs mois et qui se trouvait prêt à s'en aller. Il me dit, lors d'une des dernières séances, qu'il avait été voir un médecin ; celui-ci lui avait prescrit du magnésium, et c'est grâce à ce magnésium qu'il se sentait beaucoup mieux et qu'il s'apprêtait à mettre un terme à la cure. Loin de le dissuader, j'ai confirmé son interprétation. Ce n'était ni lui ni moi qui avions œuvré à son mieux-être. C'était un x qui lui donnait l'apaisement d'avoir trouvé une cause, c'était le hasard qui lui évitait d'être encore lié à moi par une dette encombrante ou de s'attribuer à lui-même un pouvoir qui n'eût été qu'un leurre.

Dans l'histoire de la vie, on ne saura jamais qui a pu passer du singe à l'homme et comment ; dans l'histoire d'une vie, on ne saura jamais qui a opéré, car la vie ne nous livre pas les secrets de son passage.

3

Laisse ta souffrance prendre sa place

Chacun de nous quelque jour ou parfois durant de longues périodes a dû affronter la souffrance, celle provoquée par un accident, par une séparation, par un deuil, par une situation intolérable, par un déplacement contraint. Comment y avons-nous réagi ? Comment est-il possible d'y réagir pour le mieux ? C'est la première question que je voudrais poser. La deuxième concerne les effets de la souffrance : ce qu'elle est susceptible de nous apporter. Elle recèle un savoir indispensable à toute vie humaine digne de ce nom. C'est ce savoir qu'il faudra inventorier. En troisième lieu, puisque nous sommes thérapeutes, nous devrons nous demander comment nous pouvons nous placer pour que ceux qui nous apportent leurs souffrances puissent sinon s'en défaire, au moins les transformer afin d'en tirer quelque profit.

Le refus de l'événement

Tout d'abord, que se passe-t-il lorsque la souffrance physique ou morale nous atteint ? Nous ne pouvons d'emblée que la repousser et nous cabrer pour garder intacte une part de nous-mêmes. Nous la rejetons à l'extérieur. Notre premier réflexe est donc le refus, et il est légitime. Quand on annonce à quelqu'un la mort d'un proche ou un grave accident, le premier mot que l'on reçoit en réponse est : ce n'est pas vrai, c'est impossible. Autrement dit, ce qui a eu lieu n'a pas eu lieu. Bien que l'on ressente déjà douloureusement les conséquences pour nous de cette nouvelle incroyable, on ne veut donner au fait aucune existence. Une femme a perdu sa fille dans un accident de la route, il y a de cela des années. Mais la chambre de son enfant est demeurée telle qu'elle l'avait quittée à son dernier jour. La mère, comme chacun d'entre nous à des moments décisifs de l'existence, s'est refusée à modifier l'espace qui précédait l'événement ; elle a voulu suspendre le temps pour nier que les choses de sa vie aient pris un autre cours.

Le refus de l'événement, source de la douleur ou de la souffrance, conduit immédiatement à tarir le flux vital. C'est la porte ouverte à la fatigue, à l'insomnie, à la dépression. La négation de l'événement, le déni qu'il ait eu lieu peuvent conduire plus loin encore. En particulier, l'absurdité de la perte d'un enfant, le caractère

inversé de la suite des générations, l'impossibilité de
se continuer dans le temps ne trouvent pas un remède
suffisant dans la fixité de l'espace antérieure à la disparition. Un abîme s'ouvre alors sur la perte de la réalité
et sur le délire. Être fou de douleur n'est pas une
expression apparue au hasard de la langue. Il existe
des moments où l'insupportable de l'événement nous
contraint de fermer les yeux à ce qui est arrivé. Mais,
devenus aveugles, nous ne pouvons que nous cogner
au réel et nous faire toujours plus mal.

Pourtant, le refus, comme première réponse à
l'événement qui provoque la souffrance, est légitime et
nécessaire. Car le refus nous met en face de ce qui
est la cause de notre trouble. En le niant de toutes
nos forces, en nous mobilisant pour prétendre qu'il n'a
pas eu lieu, nous lui donnons une consistance qui le
respecte. Alors que nous pensons l'ignorer, nous en
dessinons les contours. Il a bien eu lieu s'il détermine aujourd'hui, dans l'effort pour l'effacer, nos
pensées et nos humeurs. Le refus ne se légitime pas
sous les traits d'une concession à la faiblesse humaine,
qui serait incapable de supporter un déplaisir. Nous
serions à notre égard comme un moraliste compatis-
sant qui comprendrait notre désarroi dans le malheur.
Le refus de l'événement se légitime par l'impossibilité
d'admettre le fait à cause de la souffrance qu'il suscite.
Le refus est pour l'heure le seul moyen dont on dispose
pour reconnaître le fait : il est le sceau de la vérité
de la position qui est la nôtre en cet instant. Si je nie

l'événement, c'est parce que je ne veux pas donner valeur à la souffrance. Autrement, ce serait déjà m'y complaire. Je ne suis pas masochiste, et la souffrance ne me plaît en rien.

Accepter ?

Il suit de là l'ambiguïté de l'invite à l'acceptation. Demander à quelqu'un ou à soi-même d'accepter le malheur qui est arrivé avec son cortège de douleurs et de peines, c'est se situer au-dessus de l'événement, c'est faire comme s'il n'avait pas eu lieu, c'est le recouvrir d'un voile et c'est déjà vouloir l'oublier. Or cet oubli, à ce moment premier – il y en aura un autre plus tard et d'un autre ordre –, ne ferait que redoubler l'ignorance de ce qui a bouleversé l'existence. Ce serait laisser se répandre la gangrène dans les plus secrets replis de la personne. Elle ferait souterrainement son travail destructeur. Je ne puis accepter l'inacceptable et j'ai raison. Je ne veux pas mentir et d'abord me mentir à moi-même. C'est-à-dire que je ne suis pas prêt à intégrer cet événement à mon histoire. Je ne le supporte pas. Que l'on ne vienne pas me dire que je n'ai rien d'autre à faire que de prendre mon mal en patience. L'accepter serait le mensonge de la belle âme qui voudrait trouver bon le coup qui vient de lui être porté.

Donc, dans un premier temps, il est légitime et nécessaire de refuser la souffrance. Mais que se passe-t-il si nous en restons à ce stade ? Si je n'accepte pas, parce que je ne veux pas oublier, je ne vais pas manquer de me précipiter sur les fausses pistes qui ne me donneront aucun apaisement. Je vais, par exemple, chercher les responsables et, au besoin, me compter parmi eux. C'est le père qui a été négligent et n'a pas surveillé sa fille quand elle a traversé la chaussée ou c'est moi qui n'aurais pas dû la laisser sortir ce jour-là. Ce sont mes parents qui m'ont transmis dès ma naissance un si maigre goût de vivre. C'est la femme qui m'a quitté sans raison, ou bien il est compréhensible qu'elle soit partie puisque je ne vaux rien. Il arrive que le responsable de la souffrance prenne une figure plus générale : l'entourage, la société, le destin. Je crois me délivrer par un appel à la révolte contre l'injustice du sort, sans me rendre compte que la recherche de la cause ou des causes, l'effort pour comprendre comment j'en suis arrivé là, la tentative d'élucidation de mon mal à vivre, tout cela ne peut que m'engager dans la voie du pourrissement. Plus je cherche à l'extérieur ou en moi, comme extérieur à l'événement, et plus je laisse place sans contrôle à l'expansion de la souffrance dans tous les domaines de ma vie.

Affronter ?

Alors que faire ? Si le refus est légitime, si l'acceptation est un remède de surface et si la désignation d'un responsable aggrave encore mon mal, dans quelle direction m'orienter pour que se lève la lumière d'une solution ? Il s'agit d'instaurer une stratégie à la fois beaucoup plus simple et beaucoup plus subtile. En quoi consiste-t-elle ? À traiter et à transformer le rapport à l'événement qui a provoqué la souffrance. Qu'est-ce que cela veut dire ? Il n'est pas question de vouloir comprendre comment il a été possible d'en arriver là. Ce serait s'attarder à la situation qui a été bouleversée, ce serait la figer à nouveau, lui octroyer une valeur. Cette situation n'est plus. Il s'agit donc d'affronter la configuration engendrée par l'événement, configuration qui nous déconcerte. Affronter veut dire *se laisser transformer par le contexte nouveau que nous ne pouvions prévoir et qui s'impose à nous.* Donc s'introduire progressivement à l'intérieur des relations modifiées par l'événement. Cela peut prendre des formes très concrètes. Par exemple, pour cette femme qui a perdu sa fille, il est impératif qu'elle ne laisse pas en l'état cette chambre où hier encore l'enfant se trouvait. Cette pièce doit être réintroduite, dans l'appartement ou la maison de ceux qui y habitent encore, comme une partie intégrante. Elle doit être réappropriée par les vivants qui, sans nier l'irrémédiable absence, doivent la remplir par leur présence blessée. Les souvenirs et leur rappel incessant vont aller se fondre peu à peu dans le nouvel espace qui s'élabore.

La situation nouvelle créée par l'événement ne concerne pas seulement la distribution de l'espace, elle atteint l'entourage. Ce sont donc les relations avec chacun de ses membres qu'il est nécessaire maintenant de réinventer. Elles s'étaient rigidifiées depuis le jour de l'accident et elles s'étaient détériorées, causant des dommages pour chacun. Comment est-il possible d'y réintroduire le mouvement ? Tout dépend pour chacun et pour moi de la décision de recommencer à vivre. Je ne peux l'imposer à personne. Mais je vais constater bientôt que, si je reconnais l'événement comme un passage obligé, si je m'y engage comme un lieu et un moment qui pourraient avoir un ailleurs et un lende-main, alors les proches et les plus lointains seront délivrés du souci de préserver mon somnambulisme. Ils avaient jusqu'alors l'impression de devoir me bous-culer et me brutaliser en osant me proposer de me remettre en marche. Désormais, chacun, et donc moi aussi, doit se considérer comme le centre, le seul centre qui se réveille et qui n'a rien à attendre des autres pour accomplir un nouveau début, une intégra-tion de l'événement et de ses multiples conséquences.

Se pose alors une autre question : comment peut-on décider de vivre après l'événement qui a brisé la vie, comment ne pas trahir ainsi celui ou celle qui a disparu ou qui s'est éloigné ? Cela est patent dans le cas d'un deuil. Revenir au plaisir et aux joies de l'existence, n'est-ce pas être infidèle ou manquer de la plus élémentaire pudeur ? Désormais il ne resterait, pour garder intacts le souvenir et la présence, pour ne pas le ou la perdre une seconde fois, que la tristesse et l'enfermement. Cela vaut pour le deuil, mais également dans bien d'autres cas : celui d'un père ou d'une mère encore vivants qui sont entrés dans la nuit de la pensée et de l'affection, celui d'un frère ou d'une sœur qui se laisse mourir, d'un fils qui a sombré dans la drogue. Comment alors maintenir un lien qui ne soit pas une entrave ? Comment une peine qui ne saurait être effacée peut cohabiter avec le recommencement du bonheur de vivre ? Comment ne pas se mutiler en rejetant dans les oubliettes une relation qui nous a faits et qui nous est plus précieuse que nous-mêmes ?

À ces questions, il existe une première réponse : faire l'expérience de la distinction entre un oubli qui efface et un oubli qui maintient. L'oubli qui efface ne supporte pas que quelque chose se soit passé et que nous en ayons été atteints. Il faudrait à tout prix se faire croire que nous pouvons n'avoir rien subi et rien porté. L'événement ne nous a rien appris, il n'a rien transformé. Au contraire, *l'oubli qui maintient garde enfoui le chagrin par lequel nous sommes passés.* Seulement, il n'envahit plus notre existence. Il est allé dans les couches les plus profondes de notre être. Peut-être est-il même prêt à resurgir dans certaines circonstances qui le rappellent. Mais il peut rester caché dans une sorte de nappe phréatique de notre propre terre.

Faut-il souffrir pour savoir ?

Cela nous met sur la voie d'une réponse plus ample à ces mêmes questions. Il faut considérer la place de la souffrance dans l'existence humaine. « Celui qui n'a pas souffert, dit l'Ecclésiaste, que sait-il ? » Si l'on prenait cette formule à la lettre, il faudrait en conclure qu'il n'y aurait pas de savoir qui ne prenne sa source dans la souffrance. Ce serait trop dire, car quantités de connaissances sont acquises ou peuvent être acquises sans qu'elles aient quelque rapport avec la souffrance. À moins que l'on entende par souffrance ce qui est au cœur de toute recherche, la butée pénible qui met une limite à notre compréhension et qui oblige le savant à inventer, dans la peine, des solutions. Mais cette souffrance est adjacente à la découverte. Cette dernière une fois accomplie, la souffrance qui l'a accompagnée disparaît sans reste. Elle ne fait pas partie du résultat : les théorèmes ne souffrent pas et pas davantage les supposées vérités de la philosophie.

Il en est tout autrement dans la vie humaine. La souffrance peut y introduire un savoir spécifique. Souffrir dans et par les relations positives ou négatives à soi, aux autres et aux choses nous apprend ou peut nous apprendre quelque chose. C'est spécifique de l'être humain et peut nous faire acquérir un certain savoir sur l'être humain. À ceci près que c'est un savoir qui ne peut être détaché de la relation au sein de laquelle la souffrance a été ressentie. Ce savoir naît d'une modification de cette relation et, par capillarité, de toutes les relations. Il s'agit donc d'un savoir en acte qui s'effectue et qui transforme. Alors la question est la suivante : sous quels aspects la souffrance intervient-elle pour modifier l'humain et, si possible, pour le rendre un peu plus humain ?

Première constatation : *la souffrance nous fait perdre quelque chose de notre maîtrise.* Nous pensions diriger notre existence à notre guise. Survient un événement qui en bouleverse le cours. Nous glissions sur les rails de nos habitudes, et voici que survient un obstacle qui nous fait dérailler. Nous avons perdu le contrôle, et ce que nous avions prévu de faire ou d'entreprendre est devenu impossible. Un deuil, une séparation, une trahison, une maladie nous ont rendus hagards. Nos yeux ne trouvent plus les repères auxquels nous étions accoutumés, et nous vacillons, incapables d'avancer. Mais cet égarement douloureux peut nous conduire à un réexamen de ce sur quoi nous fondions nos vies. Nous pouvons certes, et cela commence ainsi, nous enfermer dans l'isolement et sombrer dans la mélancolie et le désespoir. Nous allons pouvoir aussi laisser s'éloigner les balises qui faisaient notre assurance et attendre que d'autres plus mobiles et plus certaines dans leur incertitude puissent venir nous guider. Nous avons fait l'expérience de notre fragilité, de la fragilité de notre condition. Et ainsi, nous devenons un peu plus humains, un peu plus à notre place d'étoile qui cherche sa galaxie.

On ne sait pas dire si les animaux souffrent. Ce qui est certain, c'est que la souffrance pour eux est incapable de les faire sortir des limites assignées à leur espèce. Ils répètent sans cesse les mêmes procédures. Face à la souffrance, l'être humain peut les imiter. Il peut, en effet, se contenter d'attendre que la souffrance cesse pour reprendre les mêmes chemins, les mêmes gestes et les mêmes comportements. Et il ne s'en prive guère. Mais il peut aussi profiter de l'occasion pour changer, c'est-à-dire pour inventer. Si ses manières d'être dans les relations l'ont conduit à l'échec, il peut découvrir d'autres façons de les aborder, d'autres tours pour traiter les rencontres. Si c'est un deuil qui l'a bouleversé et s'il décide de vivre encore, il appréhendera son existence avec une distance et un plaisir devenus graves. Les choses et les gens n'auront plus la même couleur, mais celle-ci n'en sera pas moins vive. C'est parce que l'être humain dispose d'un monde qui peut toujours s'élargir et s'approfondir que la souffrance peut être l'occasion d'un renouvellement du regard et de l'affinement d'une approche de ce qui passe dans les jours et les nuits. La souffrance aura écarté les monotonies de la répétition.

Lorsque la maîtrise a été abaissée jusqu'à l'étiage et que la répétition a été réduite au silence, il est possible qu'apparaisse une nouvelle configuration. Les proportions des choses et des êtres, et leur valeur respective, ne sont plus les mêmes. La hiérarchie de nos attachements se trouve radicalement modifiée. Certaines réalités auxquelles nous donnions une importance démesurée se situent maintenant à une autre place et à une autre hauteur. Si c'est un proche qui nous a été enlevé, à quoi bon avec d'autres entrer désormais dans des querelles ridicules ? Si c'est un échec grave qui nous touche, pourquoi encore vouloir se faire le centre et réclamer à grand renfort de voix une reconnaissance qui n'est plus de mise ? Une femme aimée nous a été rendue après une maladie qui aurait pu conduire à sa mort ; sa vie devient plus précieuse que tout, et la mesquinerie dans les relations ne peut plus avoir aucune part. Entre nous et ce qui nous advient maintenant, un rapport de souplesse a été instauré. Nous ne sommes plus collés à nos revendications de toutes sortes, et nos récriminations n'ont plus de portée.

Par la souffrance, notre sensibilité a été blessée, et nous pouvons sans doute nous crisper pour ne plus rien éprouver. L'événement douloureux peut devenir une occasion d'affiner nos perceptions et d'en élargir le champ. Il y a tant de choses que nous ne regardions plus et tant de propos affirmés ou simplement suggérés que nous n'entendions plus. Sous le choc reçu, notre peau a perdu de son épaisseur. Nous pouvons nous sentir fragilisés. Mais il se peut aussi que nous résonnions aux moindres contacts, que nous n'ayons plus besoin de forcer notre attention pour percevoir les nuances des modifications alentour. Nous devenons plus intelligents à l'égard des signes que nous envoie le quotidien. Les autres n'ont plus besoin de longues explications pour que nous soyons aptes à décrypter ce qu'ils attendent ou ce qu'ils désirent. Un savoir plus subtil que celui des phrases nous a été octroyé sans que nous soupçonnions les méandres qu'il a parcourus pour arriver jusqu'à nous.

Encore une fois, quelle est la nature de ce savoir transmis sous l'effet de la souffrance ? Il n'est pas, comme les autres savoirs, quelque chose que l'on pourrait isoler et qui deviendrait un instrument à notre usage. Il n'existe qu'enfoui dans le plus secret de notre personne. C'est *un savoir qui imprègne nos percep-tions, nos humeurs, nos dires et nos manières d'être, mais qui doit être oublié. Ou plutôt c'est la souffrance transformée par l'oubli toujours présent qui s'est changée en savoir fécond.* Pour devenir un terreau capable de servir de milieu nourricier aux semis, les feuilles mortes doivent pourrir jusqu'à devenir mécon-naissables, impossibles à identifier comme telles. Sans doute les grands chagrins, même après un long temps, sont-ils susceptibles d'être avivés. En ce sens, on ne les oublie jamais. Ils le sont pourtant parce qu'ils n'envahissent plus à tout instant notre pensée au point de nous rendre incapables d'agir. Ils sont oubliés comme le sont nos multiples apprentissages à l'origine desquels nous n'avons plus à nous reporter pour pouvoir en user. L'oubli, dans ce cas, est la condition nécessaire à une action qui ne soit pas empruntée, rigide et donc maladroite. La souffrance à ce stade est passée dans toutes nos fibres comme un onguent précieux qui assouplit nos mouvements. Elle a pu disparaître à nos regards, mais elle est d'autant plus présente. Tant qu'elle était une peine qui nous assaillait, elle était source d'inhibition. Maintenant, elle est devenue l'ingrédient qui favorise notre humanité.

Attention

Après avoir suggéré comment il était possible de réagir à la souffrance, par le refus d'abord et par l'adhésion ensuite, et après avoir esquissé en quoi consistait le savoir attaché à la souffrance, il nous reste à évoquer quelques traits de l'attitude du thérapeute face à elle. Cette attitude pourrait se dire en quelques mots : attention, sérénité et silence.

Devant le récit d'une grande souffrance, l'interlocuteur ne nous demande d'abord qu'une grande attention. Il s'agit de ne rien laisser se perdre non pas tant de ce qui est dit et des détails racontés que de l'extrême complexité de la situation. Que veut dire en ce cas porter attention ? C'est d'abord abandonner nos soucis personnels, le souvenir peut-être de peines semblables et même notre rôle de thérapeute. Nous ne sommes plus qu'un humain face à un autre. Il s'opère une sorte de captation. Nous n'entendons pas seulement, nous voyons, nous touchons, nous sentons. Tous nos sens sont en éveil, et ils se confondent. Aucune tentative d'analyse, aucun effort de compréhension, une absence de réflexion. Nous sommes réduits à l'immédiateté du contact, non pas contact avec la souffrance, mais avec la totalité de la personne. Elle n'est pas seulement quelqu'un qui a mal. Sa souffrance est à recevoir dans le contexte entier de son existence. Il est cet homme – elle est cette femme – qui a été renversé par un événement insolite. Mais je n'ai pas à ne retenir que cela. Par mon attention ample et dépouillée, il ou elle me dit déjà, sans que je le sache moi-même, comment cette chose douloureuse va pouvoir prendre place dans l'ensemble de sa vie. Cette présence sans intention de ma part va créer une aire où la souffrance commencera à être délivrée de son caractère envahisseur. Cette personne n'est à cette heure pour elle-même que souffrance. Parce que mon attention la reçoit tout entière avec son histoire passée et l'ensemble de ses possibilités, je desserre l'étau dans lequel elle se trouve immobilisée. Mais je ne peux pas faire plus que d'être présent tous azimuts. Proposer quelque solution que ce soit reviendrait à faire violence. C'est trop tôt. Mais déjà en voyant, en entendant, en touchant, en sentant autre chose en elle que cette souffrance, je lui découvre par avance le possible que, par définition, elle ignorait en cet instant.

Sérénité

Cette sorte d'attention serait impossible sans la sérénité du thérapeute. Sérénité veut dire d'abord que le thérapeute n'a pas à partager la souffrance du patient. Ce partage ne lui serait d'aucun secours. Le patient ne demande pas que l'on souffre avec lui. D'où l'ambiguïté du terme d'empathie souvent utilisé pour dire le lien entre thérapeute et patient. Il est possible d'être auprès ou avec quelqu'un sans éprouver ce qu'il éprouve. Les belles âmes penseront que refuser la compassion est le signe d'une insensibilité regrettable. Mais est-ce si sûr ?

Voici un exemple du contraire. Une thérapeute était venue me voir pour me parler d'un cas difficile. Sa patiente était la mère d'un enfant de 15 ans qui s'était suicidé en laissant une lettre où il demandait que l'on ne s'enquière pas des raisons de son acte. Cette mère ne l'entendait pas ainsi et voulait percer le secret de son enfant. La thérapeute était d'accord pour accompagner la patiente dans cette voie. Lors de la séance de supervision, j'ai proposé à la thérapeute de laisser de côté cette tentative. Après quelques réticences, elle accepta. Je faisais l'hypothèse que ce qui comptait finalement pour la patiente, ce n'était pas de savoir pourquoi son fils s'était suicidé ; c'était de retrouver, si c'était possible, la force et le goût de vivre. Si la thérapeute continuait à chercher à répondre à la demande explicite de la patiente, elle ne pouvait que l'enfermer un peu plus dans son malheur. Il s'agissait donc d'obtenir de la thérapeute une modification de sa visée et pour cela un changement de son attitude dans ce dialogue. Il fallait donc que la thérapeute cesse de partager la souffrance de sa patiente et donc la recherche du secret de son fils qui entretenait cette souffrance. Mais il fallait aller plus loin. La thérapeute était invitée à se retrouver et à se rendre aussi libre que possible au sein de cette situation. Ce qui supposait qu'elle soit indifférente au résultat de la thérapie, qu'elle s'enfonce dans sa propre impuissance à aider cette mère en détresse, qu'elle soit seulement attentive et sereine, et qu'elle se laisse aller à considérer les possibilités de renouveau qui existaient peut-être en cette mère. Il fallut quelque temps pour que cette thérapeute adopte cette attitude nouvelle. À mon étonnement et à la surprise de la thérapeute, elle vit sa patiente se redresser, mettre ses épaules bien droites et se lever plus légère. Par la suite, la thérapie avait pu prendre un autre cours. La thérapeute n'avait pas eu besoin, à la séance suivante, d'expliquer quoi que ce soit à sa patiente. Puisque la thérapeute avait modifié son attitude, la patiente l'avait su et elle s'était située dans son existence de manière différente.

Silence

On voit à travers cet exemple que partager la souffrance, vouloir répondre à la demande immédiate, entrer dans l'angoisse à la recherche d'une solution, tout cela ne peut qu'enfermer un peu plus l'interlocuteur dans son malheur. Ce qui compte d'abord et avant tout, c'est la position prise par le thérapeute, c'est cela qui sera les prémices d'un changement éventuel. *La sérénité ou la liberté dont fait preuve le thérapeute*, à l'instar de l'attention proposée plus haut, *ouvre au patient un champ où il va pouvoir se défaire de sa fixation sur les attendus de sa peine.* D'une certaine façon, nous n'avons rien à faire et rien à dire. C'est dans le silence de la relation que la modification s'est effectuée. Nous avons seulement entraîné le patient dans un espace qui n'était plus confiné, où il a pu trouver une respiration nouvelle. L'air qu'il inhalait dans sa réclusion sur sa souffrance était de plus en plus vicié. Il s'y étouffait lui-même. Nous avons, par la forme de notre présence, ouvert les portes et les fenêtres de sa prison ; nous en avons fait tomber les murs. Le lien qui s'était instauré avec lui à travers notre attention sereine et silencieuse lui a permis de déployer les possibilités d'une nouvelle vie qu'il avait pour un temps mise sous les verrous.

On m'a raconté que, dans la montagne suisse, un éboulement avait détruit la plus grande partie d'un village. Le gouvernement fédéral avait envoyé une escouade de psychologues pour venir en aide aux habitants. Quand ils arrivèrent, les villageois s'enfermèrent dans leur maison, redoutant cette intrusion de donneurs de consolation. Intrigués par ce comportement, les ambassadeurs des autorités interrogèrent le curé pour savoir comment il s'y prenait avec ses paroissiens en cas de malheur. Il leur fut répondu qu'il ne faisait rien d'autre alors que s'asseoir auprès des sinistrés et se taire. Si le silence est attentif et serein, c'est-à-dire s'il est libre de toute angoisse et de toute intention bienfaisante, s'il est silence qui fait silence devant la catastrophe parce qu'elle dépasse tout entendement, ce silence suffit pour apaiser la souffrance. Tous les mots sont dits dans le silence, tous ceux que l'on aurait pu dire, tous ceux que l'on risquait de prononcer par maladresse, tous ceux que l'on n'aurait pas su imaginer pour redonner courage, les mots tous impropres, tous remplis de trop ou de pas assez, le silence en est gorgé et ils lui donnent sa force et son intensité. Silence discret, modeste, honnête, exact, qui signe notre incompétence, mais peut atténuer la solitude de la peine.

4

Le savoir disparu dans l'action

On pourrait distinguer 1) le savoir de ce que l'on va faire, comme connaissance préalable à l'action à entreprendre, 2) le savoir de ce que l'on a fait, comme savoir après coup de ce que l'action nous a enseigné en particulier par les erreurs, 3) le savoir de ce que l'on est en train de faire comme savoir de participation inhérent à l'acte, 4) le savoir de l'inaction, comme savoir sans intention ou comme disparition et source du savoir.

Renoncer au pourquoi

Lorsque nous souhaitons changer quelque chose à notre vie, le premier moment du savoir prend la forme d'une question : « Pourquoi en est-il ainsi ? » Pourquoi suis-je déprimé, pourquoi suis-je impuissant, pourquoi m'a-t-il ou m'a-t-elle quitté, pourquoi ne puis-je plus écrire, pourquoi ma main crispée m'interdit-elle de tenir avec souplesse mon archet ? On veut comprendre, on cherche une explication et on pense que la solution est inscrite en elle. Si je pouvais savoir ce qui m'entrave, il me serait facile de remédier à mon mal. Une telle attitude est de bonne logique, car enfin mon mal découle d'une ou de plusieurs causes. Il faut bien que je les découvre, sinon elles vont secrètement produire les mêmes effets nocifs. Au contraire, les ayant découvertes, j'en aurai pris conscience et je pourrai les modifier. L'adage scolastique est sans exception : *sublata causa, tollitur effectus*. Si on retire la cause, l'effet n'a plus lieu.

Cette description élémentaire qui ne souffre au premier abord aucune réplique cache cependant plusieurs présupposés. Avant de les nommer et de les critiquer, je dois souligner la limitation de mes propos. L'action sera ici considérée uniquement comme processus par lequel s'instaure une modification dans la vie personnelle d'un individu. Cette limitation de la portée du mot action n'a aucune autre justification que celle d'un métier. Encore que l'on puisse oser prétendre que toute action est une intervention effectuée dans le réel pour le modifier. Ce réel peut prendre les formes les plus diverses, celui des applications techniques mais également celui des connaissances les plus gratuites, celui des relations humaines au sein du politique, du social ou de l'économique, celui des illusions ou des erreurs, celui de la douleur et de la

94

souffrance. En quelque point de cet univers, si je pose un acte, c'est bien pour que quelque chose change, et, même si par cet acte je ne fais que répéter, c'est encore, dans ce non-changement, au changement que je me réfère, changement cette fois refusé.

Je me bornerai à aborder la question du savoir de l'action dans le domaine de la thérapie ou à ce que l'on nomme couramment de façon malheureuse la psycho-thérapie. Dans la description faite en commençant, deux présupposés se sont subrepticement glissés, celui de la nécessaire explication, sous la forme de recherche des causes, et celui de la non moins nécessaire prise de conscience. Or ces deux présupposés doivent être écartés. Le savoir qu'ils impliquent ne convient pas en cette circonstance. Il n'est pas seulement inutile, il égare si du moins pour l'essentiel on considère l'action comme l'effectuation d'un changement.

Que faisons-nous, en effet, si lors d'une première rencontre nous acceptons, comme question princeps, le pourquoi il en est ainsi, pourquoi mon mal de dos, pourquoi ma dépresssion, pourquoi mon incapacité à me concentrer ou à entreprendre. En admettant que ce soient là des interrogations pertinentes et qu'il faille donc en chercher la réponse, dans quelle voie s'enga-gent alors le thérapeute et son patient ? Une voie qui semble être une évidence puisque, si nous déplorons une situation, force est de découvrir par quels processus elle a pu venir au jour. Il n'y aurait aucun autre moyen de la défaire. On est cependant en droit de se méfier de l'évidence. Une telle manière d'envisager les choses serait correcte si l'être humain pouvait être réduit à un ensemble de connexions qu'il serait possible d'objectiver et donc d'appréhender. Dans cette perspective, si cet humain va mal, c'est que telles ou telles connexions sont incorrectes ou qu'elles manquent. Il suffira de les connaître pour pouvoir les rétablir ou les établir. C'est bien une hypothèse de ce genre qui a présidé à l'invention d'un appareil psychique doué de mécanismes psychiques. Si on en acquiert le savoir, l'action qui s'ensuivra permettra de les traiter et de les modifier à l'instar d'une substance physico-chimique. On pense alors pouvoir analyser des parties ou l'ensemble de l'appareil, le réduire à ses constituants, puis le recomposer et en produire une nouvelle synthèse que l'on pourra nommer guérison.

Cette hypothèse indispensable à l'accès d'un savoir qui serait préalable à l'action et qui en serait le guide prend pour modèle le savoir technique qui, lui, doit précéder la fabrication ou la réparation d'une machine. Or ce modèle n'est ici d'aucun secours. L'appareil psychique – son inventeur le reconnaissait lui-même – est une fiction, et les mécanismes psychiques autant de fictions à l'intérieur de cette fiction première. On n'observe pas l'esprit comme on observe le cerveau ; il y a entre l'étude de l'un et celle de l'autre un abîme qui n'est pas franchi, même si l'on nous en fait la promesse. Ces deux formes d'étude ne

sont pas superposables. Il n'y a donc nulle possibilité, dans le domaine de la maladie dite mentale, de
répondre à la question pourquoi et d'utiliser le terme
de cause. Wittgenstein a fait remarquer que l'on
confondait sans cesse les causes et les motifs. L'action
humaine peut avoir des motifs, elle n'a pas à proprement parler de causes. Si le savoir des causes peut et
doit précéder l'action pour la maîtrise et la transformation de la nature, le savoir des motifs demeure au
seuil de l'action spécifiquement humaine ; il est incapable d'y pénétrer en vue d'une modification. La
description des motifs peut éventuellement éclairer
une situation ; elle n'est pas le levier capable de la
changer.

Renoncer au psychisme

Il faut aller plus loin pour souligner les apories
contenues dans un savoir préalable de l'action proprement humaine. En vue d'une action qui doit modifier
l'existence, il n'est pas impossible de faire fond seulement sur les notions d'appareil psychique ou de méca-
nisme psychique, mais aussi sur le terme même de
psychisme, tel qu'on l'entend couramment aujourd'hui.
L'habitude, par exemple, de distinguer le psychique du
physiologique, celle d'estimer qu'une maladie qui ne
relève pas de la physiologie doit fatalement être référée
au psychique, cette habitude consacre une coupure qui

n'a de sens que pour la médecine scientifique. Cette dernière a raison, pour s'inventer et pour progresser, de réduire l'être humain à un corps et celui-ci à un ensemble physico-chimique. Mais nous aurions tort de nous contenter des restes du grand festin des techniques biologiques. Elles se saisissent du corps et nous laissent le psychisme. Mais ce psychisme que l'on nous abandonne n'est rien, car le psychisme ou la psyché ou l'âme n'existe pas sans corps. Elle est, dit Aristote, quelque chose du corps, *somatos ti*. Parce qu'elle a voulu rivaliser avec les sciences qui par méthode réduisent le corps au physico-chimique, la psychologie qui se prétend scientifique n'a plus songé qu'il y avait un autre corps, le corps proprement humain, et que le psychisme ne faisait pas nombre avec lui.

Que se passe-t-il si nous considérons le corps comme animé, un corps psychique ou un psychisme corporel ? Nous entrons dans un mode de perception qui n'est plus celui de l'objectivité proprement dite. Comme le notait Hegel à propos du magnétisme animal, les catégories de sujet et d'objet, de cause et d'effet, d'espace et de temps, celles qui supposent la distinction des cinq sens ne sont plus adéquates. Ce n'est pas dans la confusion que l'on est alors jeté ; au contraire, c'est à une clarté à la fois plus fine et plus ample que l'on accède, clarté des tout petits enfants qui se jouent des modalités sensorielles, celle des poètes qui savent les correspondances, celle des chamanes qui sont en ce lieu et en un autre, celle de l'imagination active qui se perd et se trouve dans la complexité et la multitude des liaisons, celle qui est à la base et au fond de toutes nos perceptions claires et distinctes. Leibniz parlait des petites perceptions, ou Kant de la plage de notre esprit infiniment plus vaste en comparaison des quelques points lumineux qui font notre perception ordinaire.

C'est ce mode d'approche des êtres, des choses et du monde qui va nous introduire à un autre savoir de l'action. Celui qui est préalable à l'action et qui veut comprendre avant de faire est par définition incapable de mordre sur le mal à être. Il n'est pas du même ordre que ce dernier. Les connexions qu'il découvre par le souci de savoir pourquoi restent en dehors de lui. Il les a posées face à lui et n'a donc pas la force de les modifier. Et même, d'une certaine façon, la distance qui sépare les connexions interprétées et le savoir est accentuée par la compréhension, car le changement ne peut s'opérer de cette façon. *Il ne peut y avoir de modification d'un symptôme que par son intégration à l'ensemble de l'existence.* Par le symptôme, le tissu que composait l'existence entière a été déchiré en un ou plusieurs points. Le savoir comme explication est dénué du pouvoir de faire disparaître l'accroc. Il faut faire appel à quelque chose qui adopte le mouvement de la trame et de la chaîne pour rétablir l'unité rompue. Ce quelque chose ne peut être qu'un savoir qui soit déjà action. En quoi consiste-t-il ?

Le golfeur qui ne réfléchit plus

Comment un savoir peut-il être à la fois connaissance, mouvement et force ? C'est un savoir qui participe et non plus un savoir qui constate ou qui regarde de l'extérieur. Il en est une part ou un aspect d'entrée de jeu. Pour introduire à ce dont il s'agit : une image, celle du golfeur accompli qui ne réfléchit plus, mais qui laisse venir à lui, pour s'y fondre, tous les composants dont son geste doit tenir compte, pas seulement la souplesse et la vigueur de son bras et de tout son corps, mais la distance que la balle doit parcourir, la direction qu'elle doit prendre pour éviter les obstacles, la qualité de l'air et du vent, etc. Tous ces éléments, il en a le savoir, mais il ne les réfléchit pas, il est plongé en eux pour les mesurer, les assimiler, établir entre eux les rapports convenables, bref, les produire en les recevant. Si un coach accompagnait le champion jusque-là pour le conseiller, il s'est tu à l'instant où l'action devait être accomplie. Toute remarque ou recommandation ne pourrait que venir troubler l'unité du geste et en dissocier les traits, car celui-ci doit s'effectuer dans un savoir qui ne se distingue plus de l'action elle-même. Ce savoir n'en est pas pour autant moins présent. Bien au contraire, il s'insinue sans limitation dans tous les constituants du geste.

Cette comparaison vaut-elle encore si on la transpose dans le domaine de la thérapie ? Cela peut sembler extravagant. Le thérapeute n'est pas un manager, et le patient n'est pas un sportif en mal de performances. Et pourtant. Qu'est-ce que le changement si ce n'est l'accès progressif à la coordination de tout ce qui entre en jeu dans une existence ? *Aller bien, c'est ne rien laisser à l'abandon, ne rien laisser au dehors, de ce qui fait une personne et de ce qui la relie à son environnement proche ou lointain. Changer, c'est donc s'approprier encore et encore.* C'est de l'ordre du faire et non de l'ordre du comprendre. Autant dire que le changement ne s'opère que par le changement. Vieux problème soulevé par le souhait de donner autrement que par le geste la preuve du mouvement. « Zénon, cruel Zénon, Zénon d'Élée, m'as-tu blessé de cette flèche ailée qui vibre et vole et qui ne vole pas. » Le mouvement ne se prouve qu'en marchant. Entre l'analyse du mouvement et le mouvement lui-même, il y a une distance infinie infranchissable par l'analyse. Comme le mouvement, et sans doute comme la vie, le changement résiste à toute explication, à toute justification, à toute définition et il ne peut être produit par aucune d'elles. Lorsqu'il s'agit dans le cours d'une thérapie d'opérer un changement, même si on a renoncé au pourquoi mon mal, c'est-à-dire à découvrir les raisons de son apparition, on se demande encore comment opérer ce changement, on voudrait tout de même posséder le savoir préalable du moyen ou du levier. Or il n'y a pas de réponse possible à cette question, pas de carte qui nous montrerait le chemin à emprunter, car il n'y a nul changement qui ne s'effectue si ce n'est en s'effectuant. Cela peut sembler le comble de l'obscurantisme, mais c'est en fait le plus haut de l'éclaircissement. Le saut qui fait passer de l'analyse du changement au changement même s'opère dans un savoir qui est d'un autre ordre. Quand on est au bord de l'abîme de la modification, on voudrait s'aider de quelque intelligence de ce qui va se passer et de la connaissance de ce que l'on va trouver. Mais on ne trouverait rien si on pouvait dire ce que l'on va trouver avant de l'avoir trouvé. Lorsque Picasso disait : « Je ne cherche pas, je trouve », ce n'est pas qu'il n'avait pas cherché et pas travaillé sans relâche, c'est que le trouver ne pouvait en rien être mesuré à l'aune de la recherche. *Le mètre de la recherche ne sert à rien pour régler le trouver, pour le faire surgir et l'appréhender.*

Clarté aveugle

De quelle nature est le savoir auquel on accède ? Après coup, il sera possible d'en parler, comme le fait un critique d'art à la vue d'un tableau ou à l'audition d'une œuvre. Mais, dans le temps du passage à la création, la clarté de ce savoir est aveugle, car nous sommes incapables de la poser en face de nous comme un objet et, à l'inverse, nous ne pouvons pas nous poser comme sujet pour en décrire le contenu. Nous sommes plongés dans l'acte de trouver, et c'est ce trouver qui est notre savoir, dont il nous est impossible de nous distinguer. Problème insoluble de l'autoportrait où le peintre est dans le tableau et où le tableau prend la place du peintre, à moins que ce soit le chevalet qui les contienne tous les deux et qui résume l'espace environnant. C'est l'action qui enveloppe l'ensemble, et le savoir qui en est la connexion. Clarté aveugle parce qu'il n'y a plus quelqu'un qui maîtrise et qui voit : la maîtrise est celle de l'action clairvoyante qui tisse et retisse. Pas davange, il n'y a de simple appropriation, car je ne puis m'attribuer ce qui m'approprie. Clarté tout de même parce que rien ne reste dans l'obscurité du dehors. Le symptôme isolé et figé est de nouveau rendu à la vie, de nouveau repris dans la circulation généralisée. Il est replacé dans la lumière et jouit en même temps de l'ombre du proche. Le trouver qui est mon bien signe à chaque instant ma perte et mon oubli.

Ce qui a été parcouru jusqu'à maintenant peut être caractérisé par deux types de savoir de l'action, comme savoir d'une action qui modifie l'existence. Le premier savoir prend l'action pour objet. Il est tentative de comprendre la situation qui fait problème, il veut en découvrir les causes ou les raisons et pense ainsi pouvoir agir sur elles. On a vu que c'était en vain. Pour que l'entreprise soit efficace, il faut accéder à un autre type de savoir qui ne se sépare pas de l'action elle-même ; il y est inclus comme son intelligence. Une question s'impose désormais : comment est-il possible de passer de l'une à l'autre forme du savoir de l'action ? Si un abîme s'ouvre devant celui qui fait le pas du changement, comment peut-il ne pas y sombrer ? Et s'il n'y a aucune possibilité d'éviter le saut, quelle préparation est nécessaire à son éventuel succès ? La réponse est simple, même si elle peut paraître étrange : *laisser se former un non-savoir, c'est-à-dire un savoir dénué d'intention et de volonté.*

Est-ce pensable ? L'être humain peut-il renier ce qui fait son privilège ? Il a déjà été répondu que cela se peut, car, ce prétendu reniement, chacun l'accomplit chaque nuit dans le sommeil. Celui qui est endormi s'est rendu incapable d'intention et de volonté ; il ne lui est pas possible de percevoir le monde qui l'entoure et de s'y comporter avec intelligence et détermination. Mais cette remarque sur le sommeil ne répond pas à la première question, car il faudrait pour ce faire transposer dans la veille ces caractéristiques du sommeil, autrement dit il faudrait que l'état de veille soit transformé en sommeil sans que pour autant la vigilance ne soit effacée.

Vigilance, négligence

Supposons qu'un tel phénomène soit possible, comment alors pourrait-il être effectué ? Les moyens ne manquent pas. Mais, faute de temps, il suffira d'en

mentionner un seul : porter la contradiction à l'intérieur de la perception, faire jouer l'intention et la
volonté de percevoir tout en la rendant impossible, en
proposant par exemple de regarder un objet en
excluant d'être attentif à son contexte. Or c'est contradictoire : pour distinguer un objet, l'œil doit baliser
ce qui l'entoure. Cependant, par ce procédé contradictoire, on a obtenu de demeurer dans la veille en inter-
disant qu'apparaissent les effets propres à la veille,
c'est-à-dire la capacité de s'orienter dans le monde.
Non seulement la vigilance est préservée, mais elle est
portée à son comble parce que son contenu s'est
effacé.

C'est alors que la vigilance est prête à devenir le
savoir de l'action au second sens mentionné plus haut,
c'est-à-dire au sens d'une action qui transforme l'existence. Mais comment et pourquoi cette vigilance à la
fois excessive et vide peut-elle servir de seuil franchis-
sable par ce savoir ? Cette vigilance en suspens, parce
qu'elle est sans contenu déterminé, est en rapport
potentiel avec n'importe quoi. Sous l'effet de cette
potentialité, tous les n'importe quoi communiquent,
et ils sont susceptibles de constituer de nouvelles
connexions exigées pour la recomposition du contexte
de l'existence. Les déterminations de cette dernière ne
sont plus figées et soumises à des restrictions
d'habitude.

On peut dire la même chose en choisissant un
autre angle de vue. Si on ne ressasse plus et même si

on ne réfléchit plus et que l'on ne se soucie plus de percevoir, si donc on accède à une négligence généralisée, que reste-t-il ? On ne peut pas faire autrement que d'être encore vivant, ce qui n'empêche pas d'être encore présent à soi et au monde, mais en ne se souciant pas de le savoir. On est alors réduit au sentir, mais un sentir où les modalités sensorielles ne sont plus distinctes. État d'hébétude clairvoyant où toutes les sensations se mêlent les unes aux autres. Puisque l'on cesse d'ordonner selon nos habitudes d'entendement, c'est l'ordonnance des choses entre elles qui nous est donnée. On a laissé les choses environnantes proches et lointaines se désorganiser et s'organiser selon leurs lois propres, et on s'est laissé exister par les liens des choses qui sont autant de fils constituant notre tissu.

C'est ce que l'on peut appeler le non-savoir de l'action. Il est *le passage à la fois déconcertant et assuré qui nous permet de surmonter la peur de l'abîme* dont il a été question plus haut. Il a cessé d'être le savoir préalable à l'action, il peut maintenant devenir le savoir de l'action qui n'a pas besoin de se savoir, mais qui la dirige à chaque instant parce qu'il se laisse investir par elle.

5

Cesser de réfléchir

Une remarque de Ludwig Wittgenstein nous servira de fil directeur. Dans ce qui a été publié sous le titre de *Carnets secrets 1914-1916*[1], il notait : « Lorsqu'on sent que l'on se heurte à un problème, il faut cesser d'y réfléchir davantage sans quoi on ne peut pas s'en dépêtrer. Il faut plutôt commencer à penser là où on parvient à s'asseoir confortablement. Il ne faut surtout pas insister ! Les problèmes difficiles doivent tous se résoudre d'eux-mêmes devant nos yeux. »

De quel genre de problème s'agit-il ? Wittgenstein ne le dit pas, mais il se pourrait que le propos vaille pour tout problème et en particulier pour ceux que nous rencontrons dans notre pratique. Il nous invite, en effet, à parcourir trois temps qui sont familiers aux

---

1. En date du 26 novembre 1914, traduction de Jean-Pierre Cometti, Tours, Farrago, 2001.

hypnothérapeutes : tout d'abord, faire cesser la réflexion qui risque de compliquer le problème au lieu de le résoudre ; ensuite, mettre la pensée en un lieu où l'on est assis confortablement, c'est-à-dire passer de la réflexion à la pensée en situation ; enfin, attendre la solution qui vient comme par enchantement ; elle est trouvée sans qu'il soit besoin de la chercher.

J'entends par problème tout ce que, dans notre champ, nous nommons ordinairement symptôme, parce que le point de vue médical est insuffisant pour appréhender l'extrême diversité des impasses que viennent nous présenter les patients. Ces problèmes ne peuvent être saisis par le point de vue restreint de la médecine proprement dite, car ils sont l'apanage de la condition humaine sous ses multiples aspects.

À côté du problème

N'est-il pas étrange de nous demander de ne pas réfléchir si nous souhaitons résoudre un problème ? S'il est une conquête prestigieuse de l'histoire de la vie, c'est bien celle du pouvoir de réflexion. Pourquoi faudrait-il y renoncer lorsque nous nous trouvons en difficulté ? Que nous restera-t-il alors pour la surmonter ? Pourtant, l'expérience clinique quotidienne nous apprend qu'il est une forme de réflexion dommageable. Lorsqu'elle se présente, le meilleur de l'être humain est devenu son ennemi : cette rumination qui occupe l'esprit durant des heures et des jours, ce ressassement de nos griefs, de nos prétentions et de nos désirs inassouvis, cette plainte inépuisable qui se répand sur nos misères et nos frustrations. Il en est de même de ces dialogues intérieurs qui ne progressent pas, qui remplissent la tête jusqu'à la fatiguer, qui reviennent sans cesse sur les mêmes circonstances soit pour nous y donner un rôle que nous n'avons pas pu tenir, soit pour argumenter, pour nous justifier à nos propres yeux, pour nous donner raison envers et contre tous. Ces entreprises sont vaines, parce que nous nous tenons alors dans le passé pour tenter de faire qu'il n'ait pas eu lieu ou qu'il ait été autrement qu'il n'est. Au problème que ce passé a vu naître ou dans lequel il a été forgé, nous ne faisons que donner plus de force et de consistance. Il devient une réalité indépendante sur laquelle nous n'avons plus de prise.

Mais ne serait-il pas possible d'user de la réflexion d'une autre manière, par exemple pour reconnaître les erreurs commises, erreurs qui nous ont conduits à provoquer ce problème ? La réflexion, l'effort de compréhension, l'élucidation d'un problème, sa mise en perspective dans l'histoire individuelle, la recherche des raisons ou des motifs de son apparition ne seraient-ils pas bénéfiques ? N'est-il pas légitime de se demander pourquoi cette phobie, pourquoi ce cancer, pourquoi cet accident, pourquoi cette séparation ? En tout cas, c'est ainsi que commence le plus souvent une thérapie. À mon mal, il y a des causes, et c'est en les découvrant, en les reconnaissant ou en les écartant que l'on pourra venir à bout de ce mal. Il est bien difficile d'envisager comment on pourrait procéder autrement.

Pourtant, ce rapport de l'effet à la cause à quoi aucune conduite ne semble devoir échapper n'est pas valable pour ce qui relève de la position dans l'existence. *La solution d'un problème humain ne s'effectue jamais par une réponse à la question pourquoi.* Elle exige de faire cesser la réflexion sous peine de s'y empêtrer. Car une telle solution n'est pas de l'ordre de la pensée réflexive ; elle est de l'ordre de l'action. Cela ne vaut pas d'ailleurs uniquement et d'abord pour le temps de la thérapie. Lorsque Wittgenstein, par exemple, dans les *Recherches philosophiques*[2], imagine l'apprentissage de la parole par un jeu de langage, il suppose que l'enfant fait un geste, qu'il touche des objets et les parcourt. Cela signifie qu'apprendre est un entraînement, un exercice du regard et de la main. Un logicien initie sa petite fille au nouage des lacets : il énonce des explications subtiles et précises pour susciter les gestes adéquats. Mais, à la fin, il est contraint de dire : fais-le. *Learning* ne va jamais sans *training*. Dans *De la certitude*[3], Wittgenstein écrit :

2. Paris, Gallimard, 2004, § 86.
3. Paris, Gallimard, 1965, § 310.

« L'élève[4] ne s'ouvre à aucune explication car il interrompt continuellement le maître en exprimant des doutes, par exemple quant à l'existence des choses, la signification des mots, etc. Le maître dit : "Ne m'interromps plus et fais ce que je te dis ; tes doutes, pour le moment, n'ont pas de sens du tout." » Si l'on veut comprendre quelque chose, il faut d'abord le faire. C'est encore Wittgenstein qui, cherchant à fonder la certitude des propositions, en vient à affirmer : « La justification, cela existe certes ; mais la justification a un terme[5]. » « Le terme, ce n'est pas que certaines propositions nous apparaissent à l'évidence comme vraies immédiatement, donc ce n'est pas, de notre part, une sorte de *voir* ; le terme, c'est notre *action* qui se trouve à la base du jeu de langage[6]. » Et encore : « Ce que nous disons reçoit son sens du reste de nos actions[7]. » Déjà, il n'y a pas de logique assurée, il n'y a pas de solution décisive à un problème logique si ce n'est par l'action qui est toujours logiquement préalable au langage. De même, comme il vient d'être dit, c'est parce que le petit enfant se meut dans l'espace qu'il est capable ensuite de poser des questions ; ce sont donc les gestes et les actes qui sont susceptibles

---

4. L'élève qu'évoque Wittgenstein n'est pas n'importe quel enfant ; c'est un personnage qu'il met en scène plusieurs fois (*Fiches* § 411). Cet enfant « raisonneur » a décidé d'embêter son professeur et applique à la lettre le précepte « critique » des philosophes (toujours vérifier, toujours demander une raison). Note de VD.
5. *De la certitude, op. cit.*, § 192.
6. *Ibid.*, § 204.
7. *Ibid.*, § 229.

de fournir une base aux questions, c'est la mise en œuvre des gestes et des actes qui donnera sens aux questions et, mieux encore, comme on le verra plus loin, qui les fera disparaître.

Ce qui est vrai pour l'acquisition du langage, ou pour la logique, l'est bien plus encore pour résoudre un problème au cours d'une thérapie. *On n'a jamais vu que le changement puisse s'opérer autrement que par le changement, et tout changement est un changement dans l'action.* On objectera que l'on peut simplement changer en pensée. Mais, d'abord, on ne change jamais en pensée seulement ou on ne peut changer en pensée si ce changement, à supposer qu'il soit premier, n'entraîne pas des modifications de nos manières d'être au sein d'événements qui ne sont pas seulement et d'abord de l'ordre de la pensée. De plus, les problèmes rencontrés par les patients sont toujours des problèmes d'existence ; ils concernent donc la manière dont ils se situent dans leur monde, soit qu'ils touchent leur corps soit que les fassent surgir les relations diverses dans lesquelles ils se trouvent insérés. Il faut tôt ou tard, et plus tôt est le mieux, passer à l'action, c'est-à-dire effectuer le changement souhaité.

Comment suspendre la pensée

À supposer que nous devions affronter directement le problème sans le secours de la réflexion où nous avons toute chance de nous empêtrer, comment est-il possible de l'interrompre ? Avant d'en venir à cette question, il faut bien admettre qu'*il est souvent nécessaire de s'être empêtré pour avoir la force, le courage ou l'obligation de changer. La souffrance engendrée par la recherche d'une solution et par la tentative d'y voir clair est le premier ressort d'une modification.* Les psychanalystes savent bien qu'un long temps est parfois indispensable pour que le dégoût de la répétition conduise à un retournement. Il faut de cette répétition avoir une certaine horreur pour traverser l'angoisse d'une réorganisation, alors improbable, de tout le système relationnel, de tout ce qui constituait nos façons habituelles d'agir et de réagir.

Horreur de la répétition et souffrance d'une réflexion vaine étant données, comment suspendre la pensée qui s'égare en tournant sur elle-même ? Les hypnotiseurs connaissent la réponse, puisque quotidiennement ils induisent la transe. L'induction a en effet pour but d'interdire la réflexion. Comment cela ? En rendant impossible la perception, en substituant à la perception ordinaire une autre imaginaire, ou encore en proposant une tâche sensée et absurde à la fois. Il suffira de donner quelques exemples.

Lorsque nous demandons à quelqu'un de fixer son regard sur une partie limitée d'un objet sans balayer le champ alentour, il ne peut poursuivre l'expérience. Les yeux se ferment, le regard se brouille et se perd dans le vague. La perception de l'objet est devenue impossible, car on ne peut voir un objet ou un point si on se refuse à voir en même temps ce qui l'environne. Si l'objet est insaisissable, la conscience de l'objet s'évanouit ; nous ne pouvons plus en avoir la représentation explicite. Tout se mêle dans la confusion, comme si la lumière s'éteignait pour laisser place à une ouverture sur le chaos où tout, et n'importe quoi, puisse surgir.

Il en est de même si l'on propose au patient de se transporter par l'imagination à la campagne, à la ville ou à la montagne et de laisser venir des sensations qui pourraient lui être agréables. Il ne cesse pas d'avoir des pensées, mais celles-ci n'ont plus de rapport avec la réalité environnante. Il a pris congé de son mode de pensée habituel qui le situait dans son entourage ; il s'engage dans une rêverie qui est sans ancrage et sans limites. Il ne perçoit plus ce qui se passe autour de lui. Il est encore là, mais il est ailleurs. Il est dissocié, disons-nous, et il perd la maîtrise qui était sienne un moment auparavant. Il est devenu incapable de réfléchir à son problème et même incapable de toute réflexion.

Pour mettre la réflexion en suspens d'une autre manière encore, le thérapeute va utiliser le langage à

contresens et proposer une tâche en apparence contradictoire : « Vous allez vous engager sur un chemin que
vous ne connaissez pas, et que je connais moins
encore, pour aboutir en un lieu que vous ignorez en
vue d'accomplir ce dont vous êtes incapable. » Si le
patient accepte de s'engager dans ce jeu, s'il veut
bien s'avancer sans but et sans moyen, il ne peut plus
rien percevoir de son monde ordinaire, sa pensée se
brouille, il ne peut même plus penser du tout. Le
langage qui tend par nature à produire des significations est ici comme ridiculisé. Il est, d'une part, capital
que l'on en use, car comment négliger un des traits
qui marquent l'humanité ? Mais, par ailleurs, puisque
le langage est l'instrument privilégié de la réflexion et
que celle-ci doit cesser, il faut qu'il soit subverti. On
pourrait cependant remarquer à juste titre que les
phrases formulées à l'instant sont pleines de sens, car
il s'agit d'ouvrir la voie à un univers de possibilité et
d'invention. Or la possibilité et l'invention sont, par
définition, impossibles à formuler correctement, car
elles font partie du futur qui échappe. Les paroles en
apparence absurdes sont en réalité correctes et
adéquates. Elles sont troublantes parce qu'elles font
changer de registre ; elles sont bénéfiques parce qu'il
faut changer de registre.

Le lieu qui pense

Ces procédures, et il y en a bien d'autres, ont donc pour but de faire cesser la réflexion. C'est là le premier moment du procès hypnotique. Le second est l'effectuation de la transe. Mais en quoi consiste-t-elle ? Si l'on suit Wittgenstein, la transe se définirait ainsi : « Commencer à penser là où on parvient à s'asseoir confortablement. » Formule étrange. Tout d'abord, on ne s'assied pas confortablement tout de go. Il faut y parvenir. C'est une recherche qui peut impliquer divers essais. Mais c'est une recherche qui doit se faire sans effort. Le corps qui n'est pas à l'aise indique à la fois qu'il faut changer de position et quelle position est la plus adéquate. Une position confortable est jugée telle non par le relâchement seul, mais par la mobilisation de tous les membres et de tous les viscères. On doit sentir que toutes les articulations sont souples et prêtes au mouvement, qu'une énergie circule sans entrave comme un souffle et qu'elle passe de la tête aux pieds et des pieds à la tête.

Mais que veut dire « commencer à penser là » ? En s'asseyant confortablement ainsi, on aurait créé un lieu favorable à la pensée. Cette formulation est pourtant inadéquate. *Le lieu n'est pas une condition de la pensée. Il ne s'agit pas de s'asseoir confortablement pour pouvoir penser correctement. Le penser n'est même pas ici déterminé par le lieu. Il est le penser du lieu, il est le*

118

lieu qui pense. Comment un lieu peut-il penser ? Ce lieu n'est pas circonscrit aux limites du corps : il implique l'espace où il se meut. Car le corps ne peut trouver son assiette s'il n'est pas accordé à la situation. Et pas seulement la situation dans ce fauteuil, à moins que le fauteuil ne devienne le résumé de l'existence entière du patient qui s'y trouve. Il est impossible de parvenir à s'asseoir confortablement si l'on ne se laisse pas aller à recevoir tout ce qui nous entoure, tout ce avec quoi nous entretenons des liens, tous nos intérêts. Penser, dans ce cas, c'est avoir l'intelligence du contexte vital, de tous les éléments dont il est formé, c'est déjà agir dans ce contexte, agir ce contexte. Penser et agir deviennent une seule et même chose, parce que la pensée ne se réfléchit plus, supprime la distance qui la séparait du monde intérieur et extérieur, et s'abîme dans une réceptivité en toutes directions.

L'immobilité apparente dans laquelle se trouve le patient s'identifie alors à un mouvement. Il peut lui arriver de se mouvoir lorsqu'il est à la recherche de la meilleure position. Mais, même si son corps semble ne pas bouger, il est mû sans cesse par la nécessité de mieux se placer pour que le corps, qui est pensée en acte, s'adapte plus finement à ce qui est alentour. Sa place, il ne la trouve jamais ; il peut seulement se la laisser trouver en fonction de ce qui l'environne. Et, comme ce qui l'environne ne cesse de se modifier, même durant le temps limité d'une séance, le mouvement ne peut s'arrêter. Wittgenstein parle de l'axe de rotation d'un corps en révolution : « L'axe n'est pas fixé au sens où il serait maintenu fixe, mais c'est le mouvement tout alentour qui le détermine comme immobile[8]. » L'immobilité du patient ne s'impose qu'à un regard inexpérimenté. Il n'a pas besoin de communiquer par la parole le fait qu'il n'est pas bien posé. Cela peut se voir et se sentir non seulement par les traits du visage qui se modifient, mais par la manière dont chaque partie du corps est à la fois relâchée et en alerte. Notre perception ordinaire, à la fois grossière et fatiguée, ne saisit rien en deçà des mouvements d'une certaine ampleur.

Laisser se faire

Comment est-il possible d'affirmer que cette posture immobile, même si elle est une mise en mouvement, est une action, car c'est par une action, comme on l'a vu, que la solution du problème doit être effectuée ? Comment serait-ce une action, puisque le thérapeute qui veut induire la transe demande au patient, selon l'expression consacrée, de lâcher prise, c'est-à-dire de ne rien faire, de ne surtout même pas

---

8. *Ibid.*, § 152.

faire effort pour ne rien faire ? Ce mouvement immobile n'est donc pas une action. Mais il n'est pas une action parce qu'il est le commencement et la source de toute action. *Ne rien faire, c'est ne rien faire de particulier, ne s'arrêter à aucune pensée, aucun sentiment, aucune sensation. Ce ne rien faire devient un laisser se faire. Or laisser se faire équivaut à un état de réceptivité sans limitation aucune. Quand on est disposé à tout et n'importe quoi, que l'on ne préfère rien, que l'on ne veut rien et que l'on est sans nul projet, ce que l'on touche et que l'on reçoit n'est autre que la force d'agir.* On est à l'origine de l'action parce que l'on est mobilisé, prêt à toute éventualité.

Mais alors qu'est-ce qui est laissé se faire, qu'est-ce qui est laissé advenir, autrement dit que se passe-t-il dans la transe elle-même, car c'est un moment qui dure ? On prend contact avec une multitude de connexions, à l'intérieur celles des dons et des capacités, à l'extérieur celles des éléments qui définissent la situation de l'individu. Ce ne sont pas là des réalités secrètes, inaccessibles ou mystérieuses. Elles sont toutes visibles et sensibles. La plupart du temps, nous n'en apercevons que quelques-unes et nous ne nous intéressons qu'à elles. Par le ne rien faire, le champ des possibles et des réels s'ouvre et se ferme en même temps pour mieux se constituer. Il y a non plus des objets face à un sujet, mais une participation et une compénétration des uns et de l'autre. *L'individu qui laisse faire s'ajuste sans cesse à ce qui vient vers lui, et c'est cela qui est le commencement et déjà la plénitude de l'action.* Pour désigner ce qui s'opère, on peut parler d'intuition de la chose, c'est-à-dire de ce qui rassemble en un le but, les moyens et l'œuvre. À propos de l'intuition intellectuelle de Schelling, Hegel écrivait : « L'être humain, avec esprit, cœur et sentiment, bref, dans sa totalité, doit se rapporter à la chose, se tenir en son centre et la laisser faire [9]. »

Nous comprenons peut-être un peu mieux maintenant la formulation de Wittgenstein : « Commencer à penser là où on parvient à s'asseoir confortablement. » La transe, comme lieu de pensée où l'on prend son assiette, est la posture de l'action qui s'ajuste à la chose ou qui est ajustée à la chose, c'est-à-dire à l'ensemble des connexions qui sont la substance de l'individu, à l'ensemble de ce qui le forme et de ce qu'il forme. En ce temps ou en cet état, tout s'échange – et c'est pour cela que l'on peut parler de transe, de passage. Tout s'échange et se réduit à l'unité : l'extérieur et l'intérieur, le sujet et l'objet, le but et les moyens, la passivité et l'activité. S'il en est bien ainsi, on en arrive à la conclusion de Wittgenstein : « Les problèmes difficiles doivent tous se résoudre d'eux-mêmes devant nos yeux », c'est-à-dire sont tous résolus d'eux-mêmes. Les problèmes nous hantaient parce qu'ils étaient comme des enclaves réfractaires à la circulation de l'ensemble de notre existence. Puisque

---

9. *Gesammelte Werke*, Stuttgart, Glockner, vol. 10, 1929, p. 325.

tout est devenu fluide au sein de cette posture particulière, ils ont disparu.

Le réel qui n'est pas là

Nous pourrions nous arrêter là, puisque nous
avons compris pourquoi les problèmes pouvaient se
résoudre d'eux-mêmes : il suffisait de développer les
implications du fait de « penser là où on était assis
confortablement ». Mais nous ne sommes pas encore
tout à fait satisfaits, et les questions reviennent. Bien
sûr, en tout ce qui précède, nous avons vu que c'est
l'action qui prime, action qui reprend en elle par la
posture tous les fils qui permettent de tisser une existence. Mais cela suppose au moins trois choses : de
supprimer la distance entre intention et action, entre
imaginer et faire, entre l'agent et l'opération. Or il
semble aller de soi qu'avoir l'intention n'est pas encore
agir, qu'imaginer la solution n'est pas encore l'accomplir et qu'agir suppose un agent distinct qui, en particulier dans la transe et ses effets, semble avoir disparu.

Que l'intention ne soit pas séparable de l'action,
c'est-à-dire qu'il n'y ait pas nécessairement un préalable intentionnel ou une activité mentale qui précéde-
rait l'action, cela est vrai dans une théorie conséquente
de l'action. Les philosophes dans la mouvance de Wittgenstein l'ont montré avec suffisamment de clarté.
« Dire ce que fait l'agent et dire pourquoi il le fait sont

deux façons de décrire la même chose [10]. » Cela signifie que, si une action est intentionnelle, il suffit de décrire correctement cette action pour que l'intention apparaisse. L'erreur de la théorie mentaliste, lorsqu'elle affirme que l'intention peut être expérimentée en dehors de l'action, est reconduite et faussement confortée par notre difficulté, dans la pratique, à nous investir totalement dans l'action. Il a été mentionné au début que nos problèmes étaient insolubles tant que nous ruminions, par-devers nous, au lieu d'agir, ou que nous continuions à réfléchir au lieu de nous contenter de faire. La longue histoire du tireur à l'arc qui n'en finit pas de se débarrasser de son mental et donc de son intention de laisser la flèche partir est un bel exemple de la nécessité de l'exercice pour que l'intention et toutes les circonstances qui la conditionnent soient absorbées par l'action. Peut-être alors devrions-nous considérer que la transe n'est rien ou qu'elle est nécessaire, comme la prose de Monsieur Jourdain, pour que nous puissions poser un acte sans plus.

Un jour, un homme accablé par le souci de lui-même et qui avait touché au dégoût de soi est venu me voir pour en être délivré. Après quelques minutes de conversation, je lui ai enjoint de se lever, puis de faire un pas. Sous l'effet de cet ordre qu'il n'a ni discuté ni

---

10. Vincent Descombes, préface à G. E. M. Anscombe, *L'Intention*, Paris, Gallimard, 2002, p. 16.

différé, il a agi sans y penser. Il a été brusquement libéré du souci de se regarder et de savoir ce qu'il faisait. Son visage torturé s'est détendu, et il a ressenti un immense soulagement. Après avoir goûté quelques minutes une tranquillité qu'il n'avait pas connue depuis longtemps, il a jugé que ce changement éprouvé sans conteste n'était pas possible, que c'était vraiment trop simple. Comme il me disait son étonnement, je lui ai fait part du mien. Il n'est pas revenu et a dû retourner à ses démons. Mon seul espoir était qu'il n'oublie pas cependant ce qui s'était passé. Vain espoir probablement. Il avait fait l'expérience de la suppression de la distance entre intention et action, mais cela lui était insupportable.

Supprimer la distance entre imagination et action oblige à se demander comment on peut agir sur le réel qui n'est pas là, car ni les lieux ni les personnes qui forment l'entourage du patient ne sont là objectivement. C'est, en effet, par l'imagination que le réel qui n'est pas présent acquiert une présence, et même, comme on va le voir, une présence accrue. Quelle imagination ? Elle existe sur plusieurs modes. Il y a d'abord celle qui s'éloigne de la réalité, celle dont use l'enfant qui, par exemple, avant une intervention chirurgicale, est invité à jouer au tennis avec Sébastien Grosjean ou quelque autre champion. Cette imagination se caractérise par le fait qu'elle s'évade, ici de la salle d'opération grâce à ce jeu. Un deuxième mode apparaît souvent. Une femme qui souffre de boulimie imagine qu'elle en est libérée. Mais cette évocation n'a pas de prise sur la réalité, car elle doute qu'il soit possible qu'elle soit délivrée de ce mal. Elle est même certaine qu'il n'en sera rien, bien que sa démarche vise ce résultat. Son imagination n'est qu'une rêverie qui n'engage à rien et qui ne peut avoir d'effet.

Il existe un troisième mode par lequel l'imagination s'inscrit dans la réalité. Une jeune fille voudrait modifier sa relation à sa mère. En transe, elle la regarde, elle l'entend, elle la touche dans l'espace de la séance et ressent aussitôt un malaise profond. Son imagination a fait venir au jour la réalité de la relation d'une rencontre avec sa mère. Que se passe-t-il ? Son corps, son cœur et son esprit avaient été imprégnés depuis l'enfance par cette présence. Ainsi est-elle en permanence en relation avec sa mère, que celle-ci soit présente ou absente de corps ; elle a cette relation pour elle-même et en elle-même. L'effort de l'imagination fait surgir la vérité de cette relation qui devient plus réelle que celle de la présence matérielle, car cette dernière gênait l'apparition de cet arrière-fond relationnel. Lorsqu'elle était objectivement face à sa mère, elle oubliait le type de rapport de fond qu'elle avait avec elle, oscillant entre une gentillesse obligée et une acrimonie de frustration. Ce qui est imaginé dans la séance est plus juste, plus authentique et, en ce sens, plus réel que la réalité extérieure. Mais, grâce à cette réalité que permet l'absence, la relation dont elle est porteuse va pouvoir devenir labile. C'est, en effet, la relation qui est en elle et dont elle dispose qu'elle va commencer, comme on dit, à travailler. Ce n'est plus la personne de sa mère qui est en cause et sur laquelle la jeune fille n'a aucune prise. C'est ce qui lui est propre et qu'elle peut modifier, si elle le désire, en se laissant inventer une nouvelle posture.

Qu'imaginer, dans le sens indiqué à l'instant, puisse être un acte qui convoque l'existence du patient et qui morde dans la réalité pour y opérer un changement, la preuve en est donnée par la résistance à cet acte. À un étudiant qui se trouve dans l'incapacité de rédiger son mémoire de maîtrise et qui dispose pourtant de toutes les données nécessaires à cette tâche, le thérapeute propose de mettre en scène cette rédaction. Il ne lui est pas demandé de mettre en images ce projet, il ne lui est pas demandé non plus de se dire à lui-même qu'il est en train de taper sur son clavier d'ordinateur, ce qui aurait pour effet d'accentuer la distance entre l'intention et l'acte. Il lui est enjoint purement et simplement d'écrire. Or, sous l'effet de cet ordre, le jeune homme se contracte dans la peur. Il a vu telle personne lire son texte, le critiquer et même le trouver très mauvais. Son entourage a bien été réellement convoqué, et il ressent donc comme réelle la difficulté de poursuivre son travail.

La preuve ultime, celle que l'on attend, se trouve dans le résultat. L'étudiant en question a pu écrire son mémoire dans les jours qui suivirent la séance. L'acte, tout à l'heure imaginé en l'absence des conditions objectives de sa réalisation, s'effectue maintenant sans effort et sans avoir à le décider à nouveau. Imaginer est donc bien l'équivalent de faire [11]. Mais il faut remarquer que cette équivalence n'est possible que par le passage par la transe au sens que ce terme a reçu dans ce qui précède. *Le ne rien faire libère l'imagination active ou met l'imagination en acte.* On pourrait dire que la transe, à travers la posture, est déjà la solution et qu'une solution d'un problème particulier n'est possible que parce que déjà par avance la posture s'est accordée avec la réalité environnante, celle qui imposait le changement. Mais, d'un autre côté, il arrive parfois ou souvent que la transe d'un moment ne suffise pas et que surgissent des difficultés intermédiaires. Dans le cas décrit à l'instant, l'imagination du résultat a révélé des obstacles qui devaient d'abord être levés. Une autre transe et une autre posture aux visées plus précises étaient nécessaires pour dégager le chemin.

---

11. Le cerveau ne distingue pas imaginer et faire ; ce sont les mêmes aires qui sont activées dans l'un et l'autre cas. Ce serait la preuve qu'il n'est pas très malin et qu'il peut être berné, à moins que ce soit la preuve qu'il existe une proximité entre la vérité et l'illusion. Il faudrait demander aux neurologues si le cerveau est capable de distinguer les deux types d'imagination mentionnés plus haut, à savoir entre l'imagination de la rêverie et l'imagination qui est déjà une action.

Le renversement

Reste à effacer la distance entre l'action et l'agent. Comment comprendre que le patient qui se voit changé attribue à un autre cet effet ? Ce n'est pas moi, dit-il, qui ai pu être à l'origine de cette opération, car depuis longtemps j'y ai pensé, je l'ai voulu, je l'ai désiré. Donc, si ce n'est pas moi, c'est un autre. Et de décrire, par exemple, avec force détails ce qui s'est passé pendant la transe : la délivrance sous la forme de l'intervention d'un médecin qui extrayait des veines un long fil nocif. Croire que c'est un autre qui est l'agent est évidemment une illusion, car je ne suis pas absent à la transformation qui s'est effectuée. Mais cette illusion n'est que le pendant d'une autre, celle de croire que je mène mon existence dans la mesure où je me tiens en dehors d'elle et que j'y interviens librement, c'est-à-dire dans la mesure où je suis en dehors de l'action pour la produire. Pourtant, alors, il ne se produit rien : je piétine enchaîné à mon bon vouloir et à mes bonnes intentions. Il n'y a d'action que celle d'un agent qui s'est introduit « dans le contexte de ses activités passées et de son milieu historique de vie [12] ». Si bien que la situation se retourne : tant que je me posais comme moi qui agit avant et au-dessus de l'action, je n'étais qu'un autre impuissant par rapport à

---

12. *Ibid.*, p. 15.

cette action, alors que c'est moi qui agis lorsque je m'abîme dans l'action. *Quand le moi apparaît, c'est qu'il est mort.* Mort, parce qu'il est sorti du contexte qui seul est porteur de forces, exsangue parce qu'il s'est mis à l'écart de la circulation de l'énergie qui habite l'action. Le moi qui, avant ou après l'action, s'interroge sur l'agent de l'action effective ne s'y retrouve plus et ne peut plus s'y retrouver. Il a raison de dire que c'est un autre, alors que c'était tout simplement lui en tant qu'agissant. *C'est parce que d'ordinaire on n'est pas à ce que l'on fait que l'on a l'impression, dans la transe, d'être manipulé par un autre, alors que là justement on y était.*

S'il en est ainsi, il semblerait que l'hypnose ou la transe ne soient rien ou qu'elles soient tout simplement une manière entre autres de faire l'expérience de l'action. On n'aurait plus à s'étonner alors que des philosophes, à différentes époques, en aient discouru mieux que nous ou que Wittgenstein, entre les plus grands, nous ait indiqué par quelles étapes notre travail doit passer. Ou bien alors l'hypnose devrait être considérée comme un apprentissage ou un réapprentissage permanent de l'action humaine [13], comme un retour incessant à sa simplicité, alors qu'elle s'égare le

---

13. Hypnose animale : on y voit la fascination. Sa perception est perceptude, comme insertion dans son ensemble. Donc pas besoin de la modifier. Après la fascination, il revient toujours à sa perception-perceptude qui est identique à l'avant de la fascination. L'humain qui est arrêté dans sa perception ne peut la changer que s'il passe par la transe, c'est-à-dire à la perceptude.

plus souvent dans les réflexions et les ruminations, simplicité redoutable qui engendre la peur parce que nous y perdons un quant-à-soi rassurant, une pseudo-maîtrise et une distanciation vide. L'hypnose serait la pratique d'un art de l'action qui nous guérirait de bien des maux fabriqués de toutes pièces. Si, sous son effet, des problèmes se résolvent comme par enchantement, c'est tout simplement parce qu'il fallait les mettre en acte au lieu de se torturer à y réfléchir. Des problèmes et, d'abord et avant tout, celui de la vie, comme l'explique encore Wittgenstein. Dans son *Tractatus logico-philosophicus*, il écrivait déjà : « La solution du problème de la vie, on la perçoit à la disparition de ce problème. (N'est-ce pas la raison pour laquelle les hommes qui, après avoir longuement douté, ont trouvé la claire vision du sens de la vie, ceux-là n'ont pu dire en quoi ce sens consistait [14] ?) » Et dans les *Remarques mêlées* : « La solution du problème que tu vois dans la vie, c'est une manière de vivre qui fasse disparaître le problème. Que la vie soit problématique, cela veut dire que ta vie ne s'accorde pas à la forme du vivre. Il faut alors que tu changes ta vie, et si elle s'accorde à une telle forme, ce qui fait problème disparaîtra. Mais n'avons-nous pas le sentiment que celui qui ne voit pas là de problème est aveugle à quelque chose d'important ?

---

14. Proposition 6. 521, trad. de Gilles-Gaston Granger, Paris, Gallimard, « Tel », 1993, p. 112.

Voire à ce qu'il y a de plus important ? [...] Ou ne dois-je pas dire que celui qui vit bien ne ressent pas le problème comme quelque chose d'*affligeant*, et donc non plus comme problématique, mais plutôt comme une joie – quelque chose de semblable à un éther lumineux autour de sa vie, et non à un arrière-plan douteux [15] ? »

15. Trad. de Gérard Granel, *Remarques mêlées*, TER, 1984, Bramepan, 32120 Mauvesin, p. 38.

6

L'hypnose : pratique aveugle ?

On entend dire que la pratique de l'hypnose conduirait à un anti-intellectualisme. Non seulement elle serait incapable de se donner une théorie, mais elle négligerait toute recherche du sens. Elle serait une pratique aveugle. Montrer comment cette opinion est vraie sera faire voir en quoi elle est fausse.

Je veux comprendre

Demandons-nous une fois de plus comment les choses commencent. Lorsque quelqu'un rend visite à un psychanalyste ou à un psychothérapeute, sa première interrogation porte le plus souvent sur les raisons de son ou de ses symptômes. Il ou elle veut savoir pourquoi il en est ainsi. Sous-jacente à cette interrogation, il y a la croyance en la nécessité de cette démarche : si je veux être délivré de ce symptôme ou de ce qui me fait problème dans mon existence, il faut bien que j'en connaisse le motif. Dans cette perspective, le motif est revêtu des attributs d'une cause : ce symptôme ou ce problème a bien une cause, est bien l'effet d'une cause. Impossible d'être débarrassé de l'effet douloureux ou pénible si je ne commence pas par le commencement, c'est-à-dire par la découverte de la cause qui est à l'origine de mon mal. Cette cause dévoilée, je pourrai la modifier pour qu'un effet bénéfique se produise.

Une telle manière de procéder ne convient pas. Si, en effet, l'être humain ne se réduit pas à un organisme entièrement régi par les lois de la physico-chimie, on sait bien, même si on fait mine de ne pas le savoir, que s'en tenir au rapport cause-effet n'est pas pertinent. Il ne l'est probablement même pas dans le strict domaine de la biologie où chaque phénomène étudié renvoie à une complexité dont il est impossible de tracer les limites. Il y a toujours et encore la découverte d'autres éléments qui entrent en jeu. À combien plus forte raison ce même rapport est-il dénué de sens lorsque interviennent les émotions et les pensées, les fantasmes et les rêves, la vie de relations.

Supposons que cette objection soit entendue, le visiteur n'en veut pas moins une réponse : d'accord pour abandonner le terme de cause, mais, tout de même, si je souffre de phobie, d'impuissance ou de dépression, il doit bien y avoir une raison, et c'est seulement dans le cas où je la mettrais au jour que je pourrais changer. Comment un être humain pourrait-il modifier ses manières de penser ou d'agir s'il ne lui était pas montré les motifs de ses peines ou de ses souffrances, si n'était pas dévoilé leur sens, même si ce sens se révèle être un non-sens ou un contresens ? D'où la nécessité d'entreprendre un travail sur soi pour sortir de l'obscurité ou de l'aveuglement. Il faut que j'accepte de mettre à nu mes motivations, même si elles sont déplaisantes à mes yeux. Bref, je veux comprendre.

Mais rendre compte d'un agissement humain est une tâche infinie. Par exemple, une phobie de l'avion a été déclenchée lorsque, l'appareil traversant un trou d'air, vous avez été projeté(e) au plafond. Depuis lors, vous ne pouvez plus voyager par ce moyen parce que vous craignez qu'un tel accident ne se reproduise. Pourquoi cette peur dure-t-elle encore ? D'autres personnes ont subi la même désagréable aventure, et cela ne les a pas empêchées de remonter dans un avion. Alors vous cherchez pourquoi cette phobie ne vous lâche plus. Ne serait-elle pas l'effet d'une altercation avec votre mari (femme) ou votre compagnon (compagne) qui a eu lieu quelques minutes avant ce saut malencontreux ? Votre relation avec lui (elle) a commencé dès lors à se détériorer. Mais cette réponse ne vous suffit pas. Vous cherchez encore. Cet envol et cette chute auraient réveillé le souvenir d'un jeu qui s'était mal terminé, lorsque votre père, vous soulevant dans l'air, vous avait par maladresse laissé(e) tomber. De cela, vous lui en voulez

137

encore et vous désirez le lui faire savoir par votre phobie. Ne serait-ce pas plutôt, comme vous l'avez raconté, qu'un jour, vous essayant au trapèze, vous l'avez lâché et vous vous êtes cassé une jambe ? Ce traumatisme vous a marqué(e) pour toujours. Nous pouvons continuer ainsi la quête des motifs de ce dont vous souffrez. Il y en a trente-six, mais peut-être le trente-septième pourrait vous sembler plus adéquat. Ainsi, la quête est sans fin. Le mieux qui puisse arriver est que vous soyez fatigué(e) et que vous l'abandonniez.

Multiplicité des interprétations

Mais pourquoi serait-ce le mieux ? Parce que la méthode est erronée. *Si, en effet, plusieurs explications sont possibles, c'est qu'aucune d'entre elles n'est une réponse suffisante à la question posée et que leur foisonnement, loin d'apaiser, risque fort de susciter l'inquiétude.* Il existe pourtant un moyen de sauver le principe de la recherche de l'explication, c'est de s'en tenir à une seule à l'intérieur d'un système interprétatif. Ce qui fait la force ou plutôt l'illusion de force d'une interprétation, c'est qu'elle se donne pour unique. Chaque forme de thérapie a son code, et, si vous demeurez à l'intérieur de ce code, toute interprétation vous semble recevoir les couleurs de la vérité, puisqu'elle vérifie le code que vous tenez pour vrai. En réalité, *l'interprétation n'est ni vraie ni fausse, elle est seulement possible*. Mais, de l'intérieur d'un système, il faut refuser cette conclusion et, pour éviter qu'elle se fasse jour, il est impératif non seulement de se garder de toute confrontation avec les interprétations issues d'autres systèmes interprétatifs, mais de toute forme de validation de la pratique. Les psychanalystes ont raison de ne pas vouloir s'engager dans cette voie et de fustiger sous le nom de pragmatisme américain toute recherche comparative des effets des diverses thérapies. Ils ont même raison, pour se protéger définitivement de toute ingérence, de faire savoir que leur champ d'action ne relève pas de la thérapie. Alors personne n'aura jamais à se prononcer sur la validité de leur entreprise. Cette position est évidemment intenable. L'extraterritorialité réclamée à maintes reprises, si elle était maintenue unilatéralement, conduirait à un enfermement narcissique suivi d'une déréalisation et bientôt d'une dépression.

Mais a-t-on avancé en affirmant que les interprétations d'un problème d'existence sont multiples ou qu'il est dangereux de se contenter d'une seule ? On a vu que l'on ne pouvait faire crédit à aucune, parce qu'elles pouvaient toutes avoir la même valeur et que faire crédit à une seule n'était garanti que par un système interprétatif considéré comme unique. Mais pourquoi l'interprétation ou l'explication est-elle par nature instable et même inconsistante ? C'est qu'elle ne fournit jamais la véritable signification du symptôme ou du problème, car elle est une prise de distance par

rapport à lui. Elle s'en éloigne au lieu de le toucher.
Quand j'interprète mon problème, j'en fais un objet
extérieur à moi. Je me pose comme sujet face à lui. Je
suis comme un juge qui analyse mon cas ou comme
un médecin qui formule un diagnostic. Je ne suis plus
à l'intérieur de mon problème pour le transformer. Je
puis éventuellement penser que j'en ai acquis l'intelligence, mais c'est une intelligence que je lui applique
du dehors. Je lui donne un sens, mais ce n'est pas le
sens qui l'animait. D'une part, le problème s'est figé
dans l'objectivation, et, d'autre part, l'intelligence du
problème s'est vidée de sa substance. L'un et l'autre
n'appartiennent plus à la vie, même si c'était une vie
défaillante. Par l'explication unique ou multiforme, on
n'a rien fait d'autre qu'appliquer un emplâtre sur une
jambe de bois.

L'illusion du sens

Bien plus, chercher à donner un sens à un
problème d'existence n'est pas seulement vain, c'est
une opération absurde, car, au lieu de le dissoudre,
elle lui donne consistance et le redouble [1]. *Le symptôme
est déjà une isolation, un retranchement du flux de la*

---

1. La recherche d'un psychanalyste sur l'immaturité affective, qui
n'est pas sans intérêt, est tout entière guidée par la question :
« Comment devient-on immature ? » On aurait pu s'attendre à ce que
la question soit : « Comment on peut mûrir ? » Mais cette question est
sans doute trop vulgaire et intellectuellement pauvre.

vie, un arrêt et une mise à l'écart. Se focaliser sur lui,
c'est courir tous les risques de le renforcer, et c'est bien
là ce que fait par réflexe celui qui en est le théâtre. Si
je souffre d'une douleur à la jambe et que je cherche
à la comprendre, elle ne peut que s'intensifier par
l'attention que je lui porte et par l'attention renforcée
de ma recherche. Ou, si quelqu'un a peur de ne pas
être à la hauteur de sa tâche, s'il se demande pourquoi il a peur ou qu'il aille voir un thérapeute pour
en trouver la raison, il va découvrir ou se souvenir, par
exemple, que son père le traitait comme un moins que
rien. Mais, comme cet événement traumatique n'est
pas modifiable, il va devoir garder sa peur et, maintenant, puisque tel est son destin, il pourra seulement
avoir peur d'avoir peur ou attendre en permanence que
sa peur revienne.

C'est au statut du sens et de la signification qu'il
est nécessaire de s'attarder. Aucune signification ne
peut être isolée. Il est même impossible de dégager
d'un mot ce qui peut être commun à tous ses sens. Si
donc un mot d'une langue est supposé avoir un sens,
ce sens n'est déterminé que par l'usage qui en est fait
dans une phrase. La signification d'un mot, la détermination de son sens, lui vient du dehors. Mais ce dehors
d'une phrase pour le mot n'est pas encore suffisant.
Il faut admettre que la phrase reçoit elle-même son
sens d'un environnement plus large, par exemple de
la situation du locuteur ou des circonstances dans
lesquelles il parle. Dire : « Il fait un beau soleil » peut

être un renseignement donné par un météorologiste, et on le saura seulement parce qu'il aura indiqué, il y a un instant ou ensuite, la température à l'ombre, l'humidité et la vitesse du vent. Mais la même phrase peut être le propos introductif d'un vendeur à la sauvette ou d'une personne de rencontre qui veut entamer une discussion sérieuse. La signification ne se révèle donc alors que par un climat ou une atmosphère. Il faut aller plus loin encore. Pour un étranger qui connaît très bien la langue du pays qu'il visite, une conversation tout entière peut être inintelligible parce qu'elle se trame à travers des allusions que n'ont pas à expliciter des autochtones et qui sont pourtant indispensables à l'intelligence des propos tenus. Le sens est dépendant d'une culture ou de ce que Wittgenstein appelle une « forme de vie ». *Le dehors qui détermine une signification s'étend à la vie tout entière.* Le langage n'a de sens que dans son usage, et cet usage est voué à des changements ininterrompus. Chaque mot et chaque phrase sont pris dans des chevauchements « de la même façon que nous enroulons, dans le filage, une fibre sur une autre[2] ».

Si l'on veut résoudre un problème d'existence, c'est-à-dire traiter une maladie spécifique de la forme de vie humaine, il faut prendre modèle sur la manière dont nous usons du langage. C'est possible, car « parler un langage fait partie d'une activité ou d'une forme de

---

2. *Recherches philosophiques*, *op. cit.*, § 67.

vie[3] ». Puisque le langage n'a de portée que s'il est inséré dans une pratique et une manière de vivre, il n'y a pas à se demander si son analyse vaut encore pour l'existence de tous les jours. Donc, au lieu de se précipiter sur le problème qui est formulé et de lui chercher un sens par le biais de l'interprétation, il faut l'exercer en le laissant se fondre dans le contexte de vie, dans les circonstances, dans l'atmosphère, dans l'ambiance. Selon la formule de Wittgenstein déjà citée : « La solution du problème que tu vois dans la vie, c'est une manière de vivre qui fasse disparaître le problème[4]. » Le court-circuit de l'interprétation reproduit l'erreur de celui qui pense avoir saisi la réalité en la nommant. Si le mot est un simple nom attribué à une chose, cette chose est figée tout au plus selon l'un de ses aspects. Elle est ligotée comme une momie qui ne saurait se mouvoir et qui ne peut donc entrer en contact avec ce qui l'entoure. Il en est de même du problème que l'on affuble d'une dénomination. Il ne peut plus bouger et se transformer. Il peut seulement dans sa prison faire retour sur lui-même et proliférer dans une rumination qui énerve et rend exsangue. Car la vie est à l'air libre, au-dehors, avant de nous prendre au-dedans.

---

3. *Ibid.*, § 23.
4. *Remarques mêlées, op. cit.*, p. 38.

Pourquoi l'hypnose ?

La pratique de l'hypnose, qui se refuse à inter-
préter le symptôme, n'est-elle pas elle-même obnu-
bilée par la préoccupation de le faire disparaître ? Les
psychanalystes disent que l'hypnose ne guérit que le
symptôme et que, guéri, c'est-à-dire supprimé par la
force de la suggestion ou de l'abréaction, celui-ci va
réapparaître sous une autre forme, car ce à quoi il est
lié, la texture où il a trouvé à s'alimenter, n'a pas été
évoqué ou pris en compte. Ce qu'il faut, pensent-ils,
c'est faire venir au jour ces liens et cette texture par
la libre association. Quand cette dernière les aura
parcourus en tous sens, le symptôme qui s'y trouve
encastré ou enkysté prendra sens, dévoilera l'utilité
qu'il avait et pourra alors être délogé.

Cette thèse, qui veut rendre compte de la nécessité où s'est trouvé Freud d'abandonner l'hypnose et
qui tend ainsi à la justifier, se fonde sur une méconnaissance de l'hypnose ; elle efface en même temps les
différences radicales qui existent entre la psychanalyse et la thérapie par l'hypnose. Méconnaissance de
l'hypnose parce que celle-ci n'agit pas directement sur
le symptôme pour le faire disparaître. *Ce qui est
convoqué par l'état ou l'attitude hypnotique, c'est
l'ensemble des paramètres de l'existence d'un individu,
tout ce qui tient à son corps, tout ce qui rapporte ce
corps à son entourage, à son environnement, à sa*

culture. Il apparaît alors que le symptôme n'a de réalité que par l'isolement, qu'il a été forgé pour se soustraire à la vie alentour. Il ne peut s'étioler ou disparaître que dans la mesure où il cesse d'être à part et de se constituer en bastion imprenable. Lorsqu'il est plongé, par l'état hypnotique, dans l'existence tout entière de l'individu, dans le tissu où chaque élément répond aux autres, est suscité par eux et, à l'inverse, les active en y prenant sa place, le symptôme renonce alors à sa suffisance pour n'être plus qu'un fil qui a été restauré parce que réintégré à l'ensemble du tissage. *Chercher le sens d'un symptôme et le relier à tout ce qui fait une existence, c'est donc lui fournir une chaîne et une trame qu'il ne possédait pas auparavant, c'est par là le renforcer. Loin de le dissoudre, on lui donne une place de roi.* On saura pourquoi votre fille est muette, on n'aura rien fait encore pour qu'elle parle. La pratique de l'hypnose, qui commence par provoquer un état où tout se mélange dans l'indistinction, renvoie le problème d'existence à son inanité et ne lui donne pas d'autre chance que de se transformer pour reprendre une place dans la texture d'ensemble.

Différence radicale entre psychanalyse et pratique de l'hypnose. Pour cette dernière, c'est donc bien aussi d'une association qu'il s'agit ou d'une réassociation de ce qui s'était installé dans la dissociation, c'est-à-dire dans l'isolement. Mais l'association s'effectue ici non pas à partir des mots, des idées, des représentations ou des pulsions de l'individu, mais en renvoyant à l'entourage et à l'environnement. De plus, le point de départ du travail thérapeutique n'est pas un élément particulier qui serait à relier avec d'autres pour enfin constituer un assemblage. On ne commence pas, par exemple, comme dans l'analyse du rêve, par un démembrement du récit manifeste pour faire jouer chaque trait et le laisser proliférer à côté des autres, et aboutir ainsi à l'élaboration de son sens caché. En thérapie par l'hypnose, tout est là, et on laisse venir l'indistinct et le vague du tout à la fois des pensées, des représentations, des sentiments, des perceptions, des sensations, ce qui produit un état de confusion dans lequel on s'installe sans boussole et sans gouvernail. Le symptôme est alors submergé, emporté, défait de ses attaches et donc contraint d'accepter ou de subir tous les aspects de la forme de vie ou du flux de la vie. Il perd son quant-à-soi et sa prétention à être messager d'un sens, mais il est respecté, car la souffrance dont il était porteur et l'inventivité qui lui avait permis de naître sont reconduites à une finesse et à une subtilité de préhension des choses et des êtres.

L'idiotie

Mais alors se pose à nouveau la question du sens et celle de la compréhension. On n'a pas cherché le sens, on ne s'est pas préoccupé de comprendre. N'est-on pas entré par ces refus dans la zone peu recommandable de l'occulte ? Il ne semble pas y avoir cinquante solutions : ou bien on accepte que l'explication joue un rôle, et en ce cas on peut se livrer aux délices des constructions intellectuelles et faire montre d'astuce [5], ou bien on renonce à toute explication et interprétation, on se trouve alors sans l'index de l'intelligence et on laisse la porte ouverte à toutes les aberrations. N'est-ce pas là un faux dilemme ? Le sens, en effet, comme on l'a vu, ne se donne que dans l'usage. Il faut pratiquer le sens pour qu'il existe. Impossible de l'extraire et de le faire jouer pour lui-même, sinon il fonctionne « en roue libre » et il se vide de tout contenu [6]. En d'autres termes, la pensée ne peut se sortir de la vie, de la forme de vie, du flux de la vie, car ce sont eux seuls qui sont porteurs de sens. La pensée peut bien se déployer et proliférer pour elle-même et courir après la vie pour la rejoindre ; par définition, elle ne le pourra jamais. *Il n'y a de pensée véritable que celle qui accepte de s'abîmer dans la vie sans pouvoir faire retour sur elle-même.* Le sens (signification) n'est donc que le sens (direction), c'est-à-dire que la signification n'est donnée que dans la mesure où elle s'identifie avec la direction octroyée par le flux de la vie. L'intelligence ne peut qu'être interne à l'expérience. Si elle ne l'est pas, elle peut bien battre la

---

5. Wittgenstein disait de Freud qu'il n'était pas un sage, mais qu'il était *clever*, malin, astucieux.
6. *Recherches philosophiques, op. cit.*, § 38 et 132.

campagne et faire montre de ses subtilités, elle ne sera jamais qu'une ombre portée.

Mais alors, pour que la vie ait du sens, sommes-nous contraints à faire taire toute réflexion, ce qui reviendrait à préférer l'idiotie ? Tout dépend de son lieu et de son temps. La réflexion doit être préalable à l'action, et son but est de faire renoncer au souci du sens, c'est-à-dire de faire apparaître tous les problèmes d'existence comme de faux problèmes qui sont priés de disparaître. D'abord mettre un terme à la rumination, celle qui porte sur nos remords, nos regrets et nos ressentiments. Ce petit jeu qui nous occupe et nous épuise doit prendre fin. Sans doute est-il fatal, car nous ne pouvons pas nous empêcher d'imaginer que les événements qui nous déplaisent ou nous font souffrir n'aient pas eu lieu. Par la rumination, nous voulons les faire autres qu'ils sont. Comme elle est vaine et nous débilite, il est souhaitable qu'un jour nous en soyons assez dégoûtés et que nous décidions alors de la faire cesser.

Ensuite, comme on l'a vu, nous devons barrer le chemin de la quête des motifs et des raisons de nos malaises. Pour cela, c'est-à-dire pour ne plus penser, pour réussir à ne plus penser, il faut avoir longtemps pensé afin de fatiguer la pensée et de la conduire au renoncement. Il faut avoir expérimenté que chaque problème de vie renvoie à d'autres, et ceux-là à d'autres encore. Il y a toujours des différences que l'on n'avait pas soupçonnées, des circonstances que l'on avait oublié de mentionner, des détails qui avaient échappé et qui menacent les constructions tout à l'heure apaisantes ou l'illusion de croire le problème enfin compris. Et puis même la chose, entrevue ou touchée un moment dans la transe, on voudrait la capter dans quelques dires, mais sa complexité qui éclate les réduit en miettes. Quand la pensée suit son cours propre et qu'elle se libère des idées toutes faites, des codes et des normes, à force d'agilité et de distinctions toujours plus raffinées, elle ouvre la porte au délire. Nous aurions seulement à choisir entre l'idiotie qui se refuse à penser et la folie par l'invasion de la complexité infinie de l'existence.

Mais c'est l'idiotie qui triomphe, parce qu'elle n'a pas peur de se perdre dans la simplicité de l'ignorance. Lorsque le cours des pensées s'arrête d'épuisement, il laisse place au sentir. Ce n'est pas le sentir particulier qui a besoin des cinq sens pour s'effectuer, mais le sentir global de la situation dans laquelle on se trouve. Ce sentir est donné par la transe hypnotique. Quand on cesse d'avoir des pensées ou des perceptions distinctes, on est porté dans une zone que l'on peut considérer comme infra-humaine, celle de notre animalité, de notre être animé par la vie. Mais ce n'est pas la vie en général que l'on éprouve, c'est cette vie en général particularisée pour l'individu que nous sommes. Nous faisons l'expérience de notre corps comme vivant dans les conditions et les circonstances qui sont uniques parce qu'elles sont les nôtres en cette place et en cet instant. Au lieu de nous en tenir à quelques traits, tels que peut les percevoir notre pensée explicite, nous sommes en prise avec l'ensemble des fils qui constituent le tissu de nos existences, c'est-à-dire de notre « forme de vie ». Pas seulement les liens avec l'entourage et la société, mais ceux avec notre histoire qui plonge ses racines bien au-delà de ce temps et de ce lieu. Ces liens deviennent des forces susceptibles de faire fondre nos problèmes « dans le flux de la vie » et de les y faire disparaître parce qu'ils « ne s'accordent pas à la forme du vivre »[7]. Dénués de vitalité, ils dépérissent. Nous avons repris contact avec les soubassements de notre existence. Alors, *ce qui peut passer pour de l'idiotie devient l'intelligence en acte. La pensée s'accomplit quand elle se tait dans le silence de l'action.*

Mais cette manière de présenter un des aspects de la pratique de l'hypnose prête le flanc à une nouvelle objection. On lui reproche, et en particulier du côté des psychanalystes, un souci d'adaptation. Puisque vous visez, disent-ils, la disparition des symptômes sans passer par une élaboration de ses tenants et aboutissants, donc sans prendre le temps de remettre en question l'idéologie de la famille, de la société, de la culture qui est liée directement ou indirectement à ce dont souffre le patient, vous ne pouvez que maintenir et renforcer cette idéologie aliénante par le mieux-être

---

7. *Remarques mêlées, ibid.*

que vous provoquez. Vous n'apportez pas la peste, vous ne proposez qu'un onguent qui apaise l'esclave et le rend plus productif. On pourrait rétorquer que la révolution promise n'est qu'une chimère et qu'elle n'a pas encore manifesté le début d'un soulèvement[8]. Mais, à l'objection, ce serait une réponse trop courte.

Mise en mouvement

La pratique de l'hypnose doit être comprise non comme une mise en conformité, mais comme une mise en mouvement. Certes, pour avancer, il est indispensable de partir de là où on se trouve. Le premier pas d'une modification est la prise en compte de la situation actuelle. Nous sommes figés dans nos problèmes d'existence parce que nous avons réduit cette situation à un nombre limité de facteurs auxquels nous sommes habitués. Nous les maîtrisons ou nous croyons le faire, et nous ne voulons pas les lâcher. La transe qui fait cesser nos crispations et qui ouvre sur les possibles nous apprend à percevoir que ces facteurs sont une multitude. En laissant flotter parmi eux nos problèmes, leur pauvreté et leur rigidité se dissolvent. Ils entrent dans le flux de la vie qui porte déjà en lui ce qui va venir. Il ne s'agit plus d'adaptation, mais de

---

8. Sur la belle fidélité des psychanalystes à la croyance ancestrale au père souverain, voir Michel Tort, *Fin du dogme paternel*, Paris, Aubier, 2005.

soupçon de ce qui est en train de se faire et de s'inventer.

Si la pratique ne l'hypnose n'est pas une mise en conformité, c'est encore parce qu'elle ne propose aucune norme. Il faut tirer profit, dans la controverse, de son incapacité à construire une théorie, de sa négligence délibérée de la recherche du sens, puisque le sens est déjà donné et qu'il nous est seulement proposé de nous y laisser prendre, d'adopter sa direction. Par cette pratique, nous sommes seulement en possession de notre état de vivant, c'est-à-dire dépossédés de tout ce qui n'est pas la réduction à cet état. Sur cette base qui ne nous appartient pas et dont nous n'avons pas le commencement d'une maîtrise, impossible de fonder et de construire quelque éthique, morale, métaphysique ou religion. La vie ne répond pas à nos questions. « Vous demanderiez mille ans à la vie : pourquoi vis-tu ? Elle répondrait toujours : je vis pour vivre[9]. » La vie, non la vie avec un grand v, la vie quotidienne, la plus banale, cette petite vie, qui est quand même la vie, n'a pas de raison, elle n'a pas à se justifier, elle est comme elle est, et, quand on s'y laisse prendre, il n'y a rien à en dire. Elle est donc au-delà ou en deçà de bien et de mal. D'elle on ne peut tirer aucun index de jugement. Tout y est à prendre d'abord, quitte à y réagir comme nous pouvons. *Dans le flux de la vie,*

---

9. Maître Eckhart, *Traités et sermons*, Paris, Éditions d'aujour-d'hui, 1943, p. 142.

la pratique de l'hypnose nous invite seulement à descendre et à nous mettre à la place qu'il nous octroie. Pas besoin de règles morales. Si on en a besoin, c'est que l'on n'a pas tenu compte de la complexité : nous ne sommes pas en l'air, il y a les autres, il y a la culture, il y a des habitudes. C'est de tout cela qu'il faut tenir compte pour se situer.

Aveugle et transparente

Pour montrer comment la pratique de l'hypnose peut être à la fois aveugle et transparente, un exemple qui permettra de clore. Tout compte fait, on pourrait résumer cette pratique par l'effectuation d'un geste. Car en lui s'opère l'entrelacs de la pensée et de la vie. Ce n'est plus la pensée qui surplombe l'acte, ce n'est plus l'acte d'un vivant qui resterait une énigme ; c'est la parole qui se montre et qui n'a nul besoin d'explication. Wittgenstein suggérait comment le geste peut être issu du langage, comment il lie de façon indissoluble le langage et la pratique lorsqu'il est sous-tendu par l'émotion. Il écrivait : « Pense simplement aux mots qu'échangent les amoureux ! Ils sont "chargés" de sentiments. Et ils ne sont pas interchangeables par convention avec n'importe quels autres sons, comme le sont les expressions techniques. N'est-ce pas parce que ce sont des *gestes*[10] ? » Ainsi, là où s'expérimente le meilleur entre les humains, les mots, les sons, les sentiments deviennent des gestes. À l'inverse, les gestes peuvent devenir des mots. Imprégnés de mots qui ne se disent pas, qui n'ont pas besoin de se dire, qui sont tellement difficiles à dire, les gestes peuvent les dire. Tel geste sait rassembler la multitude des significations en un éclair et créer l'espace où d'autres humains pourront se situer. Il n'est pas nécessaire de les leur exprimer, il suffit qu'ils répondent au geste.

Une jeune femme déplore de ne pas laisser son enfant en paix. Ce dernier lui demande pourtant de le lâcher. Mais elle n'y parvient pas et ne cesse de le harceler à tout propos. Je l'invite à croiser ses deux index et à attendre qu'ils se détachent sans avoir aucunement l'intention de le faire et sans vouloir le faire. Elle se laisse aller jusqu'à mettre dans l'oubli le pourquoi de sa présence ici. Après un quart d'heure ou vingt minutes, ses doigts se séparent l'un de l'autre, et elle pleure. Pas de commentaire, ni de sa part ni de la mienne. Elle revient après quelques semaines. Elle n'a rien dit à son fils, mais elle s'étonne de le percevoir différemment. Leurs querelles incessantes ont disparu. Elle ne comprend pas non plus pourquoi, dans le même temps, ses relations avec sa mère se sont transformées. La paix est revenue entre elles après des

---

10. Études préparatoires à la deuxième partie des *Recherches philosophiques*, cité par Christiane Chauviré, *Voir le visible : la seconde philosophie de Wittgenstein*, Paris, PUF, coll. « Philosophies », p. 102.

années de méfiance. Un geste donc tellement signifiant qu'il contenait les mots qui auraient pu se dire, qu'il dépassait les conseils, rendait vains les interprétations et les commentaires, geste chargé de sentiment qui avait distingué deux êtres emmêlés l'un à l'autre. Mais, de plus, geste qui ne portait pas seulement sur la relation à son fils, mais sur celle à sa mère et probablement à bien d'autres. *Si le corps se meut à certains moments et dans certaines conditions, il emporte toute l'âme, les pensées, les sentiments, les émotions, les amours et les haines.* « Le corps humain est la meilleure image de l'âme humaine[11]. »

Pourquoi a-t-il fallu un certain temps pour que ce geste s'accomplisse, ou que s'est-il passé pendant ce temps ? Un temps pour changer de registre, un temps pour que vienne quelque chose sans l'avoir voulu, pour que le désir d'un détachement dans l'attachement soit non plus le but recherché intentionnellement, mais une remontée de la solution qui ne blesse personne, qui tienne compte des possibilités de l'un et de l'autre et qui cependant opère une révolution dans les rapports. Il fallait donc du temps, d'une part, pour laisser de côté toutes les procédures connues et maîtrisées, d'autre part, pour laisser advenir les variables de la situation sans se les représenter et sans en percevoir les détails. Attitude faite d'ouverture illimitée et d'aveuglement consenti. Tout ignorer de ce

---

11. *Recherches philosophiques*, deuxième partie, *op. cit.*, p. 254.

pourquoi on est là, de ce que l'on est venu pourtant chercher et demander, se laisser modeler à nouveau en fonction des personnes et des circonstances. Passivité parce que l'on va recevoir ce que l'on ne connaît pas ; formidable initiative pour que les pores de l'esprit et de la peau se vident dans l'attente de ce qui pourrait même ne jamais advenir. En quelque sorte, liberté pour rien parce qu'elle ne veut rien et s'installe où elle ne peut rien, un simple jeu qui exclut toute règle connue, un jeu qui joue et se joue de tout effort, et cependant une présence lourde. Du mouvement qui s'amorce et qui va différencier deux êtres comme à la naissance, on ne sent rien, on ne connaît rien, et pourtant on laisse se faire une certaine mort qui est la vie. C'est quelque chose comme cela, ayant subi tant d'avatars au cours des siècles, que l'on nomme aujourd'hui d'un piètre mot : l'hypnose.

7

Une relation dans le champ sensoriel

En quoi consiste la relation thérapeutique ? Il est impossible de le savoir si l'on ne précise pas davantage qui sont les personnes mises en relation. Par exemple, il ne s'agira pas de traiter du rapport particulier qu'entretient un médecin avec son malade. Mais pas davantage de ce qui peut se passer entre psychanalyste et analysant ou même entre thérapeute et patient. La relation thérapeutique sera abordée sous cet angle restreint : que se passe-t-il entre un hypnothérapeute et un individu qui accepte de se soumettre à l'expérience de l'hypnose ?

Pour pouvoir répondre à cette question, il faut expliciter d'abord le but de leur rencontre. Cette exigence vaut évidemment pour toute rencontre, car le but poursuivi détermine la nature de la relation. Il en est ainsi pour une confrontation sportive, pour une entrevue amoureuse, pour un affrontement armé. Dans chaque cas, puisque l'objectif diffère, la relation change de forme. Quelle est donc la visée du rapport entre l'hypnothérapeute et l'hypnotisé ? Pour ma part, la réponse ne fait pas de doute : c'est une modification immédiate. Dans la séance et à chaque séance, si la thérapie dure, une transformation ou une amélioration est attendue. Peu importe en quoi consiste la transformation ou l'amélioration, il faut que, pour le patient, quelque chose ait lieu, qui ne se borne pas à une explication ou à une compréhension, mais qui soit de l'ordre du changement dans l'existence. Cette visée est décisive pour marquer de sa spécificité la thérapie par l'hypnose. Mais d'autres thérapies aujourd'hui pourraient se reconnaître dans cette définition. En quoi alors l'hypnothérapie peut-elle se différencier ?

Transe

Elle a pour visée, comme il vient d'être dit, un changement dans l'existence. Mais ce changement (et voilà qui caractérise cette méthode) doit s'effectuer par l'intermédiaire de la transe. On peut donc maintenant poser la question de la relation thérapeutique sous une forme plus précise : de quelle nature est une relation thérapeutique dont le but est une modification dans l'existence et dont le moyen est la transe hypnotique ? Il s'ensuit qu'un nouveau préalable s'impose : avant de dire en quoi la transe peut être le lieu d'une modification, il faudra se demander en quoi consiste la transe. C'est seulement par la réponse à cette nouvelle question que la nature de la relation dans cette forme particulière de thérapie pourra être saisie dans sa singularité. Donc, tout d'abord, qu'est-ce que la transe hypnotique ?

Pour le savoir, il semblerait qu'il suffise d'interroger ceux qui en ont fait l'expérience. Ils devraient pouvoir répondre. On sent tout de suite que ce n'est pas si simple. L'entrée dans la transe hypnotique, en effet, semble faire abandonner l'état normal, celui où l'on peut communiquer avec des individus qui ne sont pas en état d'hypnose. Et, pourtant, c'est dans cet état normal que l'on doit rendre compte de l'expérience. Comment décrire un dedans lorsqu'on est dehors ? Surtout si le mode d'appréhension des choses semble si différent lorsqu'on est dedans et lorsqu'on est dehors. On ne pourrait donc jamais savoir ce qu'il en est de la transe.

Il y a cependant un moyen détourné de répondre à la question de la nature de la transe en s'attardant, une fois encore, à décrire les différentes manières dont on use pour l'induire. C'est à leur clarté qu'il faut revenir chaque fois qu'une question nouvelle concernant la transe nous replonge dans l'obscurité. La transe protéiforme relève d'un champ qui nous échappe, mais nous y accédons par des procédures dont nous gardons une certaine maîtrise. Par elles, nous sommes encore sur la terre ferme, mais en même temps déjà au large. Un lien intrinsèque doit bien, en effet, exister entre la chose et les techniques pour la produire. Ce qu'elles visent ou ce qu'elles tendent à éliminer pourrait donc déjà nous donner quelque idée des caractéristiques de la transe.

Par exemple, il était classique de proposer de fixer l'extrémité d'un pendule en mouvement. L'œil reste comme attaché à ce point qui va et vient ; il est très vite incapable de voir. De fatigue, les yeux se ferment, et les perceptions deviennent troubles. Il en est de même lorsqu'il est proposé à une personne de porter son attention sur un objet aussi petit que possible en refusant au regard la possibilité de se porter sur ce qui est alentour. Au bout de très peu de temps, il devient impossible de prolonger l'exercice. Pourquoi ? Dans les deux cas, on va à l'encontre de ce qui est indispensable à la perception ordinaire : la saisie de l'environnement. C'est parce que l'œil passe sans cesse de l'objet à ce qui l'entoure et, inversement, de ce qui l'entoure à l'objet que ce dernier peut être vu. Sans ce balayage, l'objet n'est plus circonscrit, ses contours ne sont plus définis. Il entre donc dans une sorte d'illimitation qui le fait disparaître au profit d'un flou généralisé.

Si la transe est induite de cette manière, on peut déjà en conclure qu'elle suppose comme préalable que le mode de perception habituel soit rendu impossible, c'est-à-dire que nous ne soyons plus à même d'avoir une connaissance objective des choses et des êtres. *Le monde extérieur se dérobe à nous. Mais, pour s'ouvrir à quoi et sur quoi, il est impossible de le dire, si ce n'est*

que ce quelque chose est lié à une impression de flotte-
ment généralisé et à une incapacité à nous faire une
opinion, à porter un jugement sur ce qui nous arrive.
Il doit s'agir d'un mode perceptif différent. On sait
donc déjà que la transe sera l'expérience d'un mode
spécial de perception dont le champ sera à la fois
vague et illimité.

Une autre forme d'induction, très souvent utilisée,
fait appel à l'imagination. Vous êtes à l'approche de
la salle d'opération ou bien dans le cabinet d'un
médecin : il vous est proposé de vous transporter dans
quelque lieu qui vous serait agréable ou de vous
adonner à une occupation qui vous plaît particulière-
ment. Vous êtes ici, mais vous êtes ailleurs par la
rêverie qui vous absorbe et que vous laissez se
déployer à votre guise. Grâce à cette méthode, on a
quitté encore une fois le mode habituel de percevoir
le monde extérieur pour laisser place à la fiction, à
la liberté de penser ou de sentir, pour échapper à la
réalité et n'être plus orienté que selon un plaisir imaginaire. Les anesthésistes qui utilisent cette manière
d'induire la transe notent que ce passage par la fiction
ouvre par la suite à l'individu qui s'est prêté au jeu des
possibilités de transformation de son existence. Ce doit
bien être là aussi un trait lié à la transe.

Cette induction vise donc à créer un état de veille
étrange : l'espace et le temps qu'il appréhende ne sont
pas du même type que ceux auxquels se réfère la
science physique ou que supposent nos habitudes

perceptives. Il implique un espace qui ignore les distances et un temps présent qui puisse être celui aussi bien du passé que du futur. Une telle induction dévoile encore un autre aspect de ce que pourrait être la transe : son milieu est l'imagination, c'est-à-dire une capacité sensorielle qui permet à nos corps de ne plus être enfermés dans les évidences spatiales et temporelles. L'imagination apparaît alors comme ce qui nous fait voir, entendre et sentir un visible qui se dérobe le plus souvent à nos capacités ordinaires de voir, entendre et sentir. En d'autres termes, l'imagination est le lieu et le temps du possible qui est déjà là sans que nous le sachions.

À la suite de M. H. Erickson, d'autres types d'induction sont pratiqués. On se contente, par exemple, de formuler des tautologies : « Vous êtes assis dans ce fauteuil, vous vous trouvez dans cette pièce, vos pieds sont posés sur le sol. » Cela signifie : « Soyez vraiment assis dans ce fauteuil et rien d'autre, soyez ici dans cette pièce et rien d'autre, ne percevez rien d'autre que ce que vous sentez dans vos pieds », c'est-à-dire faites en sorte que votre attention soit tout entière absorbée par cette situation, qu'il n'y ait aucune distance entre vous et la position dans laquelle vous vous trouvez. De telles inductions laisseraient entendre que la transe est un état où il n'existe aucun intervalle entre le percevant et le perçu, où le regard est englué dans la chose qu'il considère, où les yeux sont, comme aurait dit Cézanne, collés à l'objet sans pouvoir se détacher.

Il arrivait souvent aussi à Erickson de tenir des propos paradoxaux, contradictoires ou absurdes comme s'ils étaient des évidences. Par là, il voulait créer chez le patient un état de confusion. Le thérapeute parle et il est censé faire des phrases qui aient du sens. En même temps, son dire ne doit être porteur d'aucune signification à laquelle le patient risquerait de s'attarder. S'il faut que le langage soit vide, c'est que la pensée ou plutôt que les pensées n'aient plus aucun support, qu'elles n'aient plus l'occasion de se faire jour et de proliférer. Tout se passe comme si chercher à produire la transe supposait que l'on fasse taire les pensées, qu'elle était elle-même un interdit ou une impuissance à penser.

Il existe bien d'autres procédés pour induire la transe. L'un des plus connus dans d'autres cultures, bien avant d'être adopté par les hypnotiseurs, consiste à s'absorber dans la respiration. Elle est le lieu où quelque chose de l'être humain est actif indépendamment de toute intervention de sa part et sur quoi il peut cependant intervenir pour en modifier le rythme, la suspendre un instant et la reprendre. Il s'agit bien ici de mêler inextricablement activité et passivité, d'éprouver de la distance à l'égard d'une fonction spontanée, puisque l'on y fait attention, et de supprimer cette distance, puisque l'on se laisse absorber en elle. Induire la transe revient ici, d'une part, à accentuer une dualité artificielle entre la respiration qui va de soi et l'attention inutile à la respiration qui n'irait pas de soi et, d'autre part, à abolir cette dualité pour faire taire toute supériorité de la conscience, la rendre vaine et donc la laisser s'évanouir.

Que ces procédures d'induction soient utilisées pour provoquer la transe, ce n'est pas contestable. Mais comment peuvent-elles nous guider pour saisir quelque chose de cette transe qui semble énigmatique, mais qui l'est peut-être beaucoup moins après l'inventaire d'un certain nombre de modes d'induction ? Avant de revenir à ce point, il faut mentionner un trait décisif de l'entrée en transe : la peur. Elle est presque toujours ressentie par les débutants, toujours si l'on exclut des expériences du même genre faites en d'autres lieux et sous d'autres formes (zen, méditation, arts martiaux, etc.). Elle est moins perceptible chez ceux qui peuvent en faire un exercice quotidien, mais elle reste présente. Elle est en effet l'indice que l'on pénètre sur une terre inconnue, que l'on marche vers un but ignoré sans connaître les moyens d'avancer. Comment ne pas avoir peur de faire quelque chose ou de laisser se faire quelque chose sans en avoir défini le projet, sans le contrôle de ce qui peut advenir ? *À l'approche de la transe, nous avons l'impression que nous ne sommes plus des sujets qui, comme à l'ordinaire, peuvent s'orienter dans l'existence, mais que nous devons prendre le risque de l'aventure.* La peur est donc une preuve que la transe est à l'horizon. Elle est le signe d'un passage : une menace de perdre un système de coordonnées connu et maîtrisé pour un autre dont les règles nous échappent.

Moins qu'humain ?

Ce qui a été dit des inductions de la transe permet-il de formuler quelque chose de sa nature ? Les caractéristiques qui résultent de ces descriptions peuvent déconcerter, car elles nous présentent un monde à l'envers. La transe serait quelque chose d'humain, mais elle présupposerait que l'on cesse, par exemple, d'user du langage pour comprendre et se faire comprendre. Bien plus, il faudrait que le flux des pensées s'arrête pour laisser place à un vide de pensées et donc à une incapacité à exprimer des sentiments ou même des sensations. Ou encore un quelque chose d'humain, mais pour qui ou pour quoi la perception ordinaire des objets dans l'espace et le temps ne serait plus de mise, serait devenue impossible. Et même un quelque chose d'humain qui serait collé à sa propre situation sans pouvoir s'en écarter ; en conséquence, où il n'y aurait plus pour un sujet la capacité de se faire une opinion sur des objets, de les observer, de les analyser, de les juger, donc où il n'y aurait plus de sujet du tout.

Tous ces traits ne semblent pas pouvoir nous éclairer sur la nature de la transe parce qu'ils n'en sont que le négatif. Mais on peut prendre appui sur ce négatif pour en déduire ce qu'il présuppose. Tout d'abord, les deux aspects qui ressortent de toute tentative d'induction, à savoir la mise en suspens de la pensée et l'abandon du mode ordinaire de percevoir, ces deux aspects sont corrélatifs. C'est parce que les pensées sont mises entre parenthèses que les perceptions deviennent impossibles. Pas de représentation, pas de perception. Que reste-t-il alors ? Des indices en ont déjà été donnés par l'analyse des inductions. Il reste un mode perceptif qui n'est plus soumis à l'intellect (ce que les philosophes nomment entendement) et donc une sensorialité qui se joue des impératifs du temps et de l'espace coutumiers, qui saisit les objets dans leur illimitation et donc dans leur mélange, qui adhère à la situation au point d'entrer dans les choses, qui échappe à la réalité visible pour voir avec l'imagination.

Pour reprendre les termes de Hegel, qui s'est posé la même question à propos du magnétisme animal : qu'en est-il de l'histoire de l'esprit lorsqu'il n'est pas encore une conscience ou qu'en est-il s'il repasse sous la conscience bien que celle-ci soit déjà développée ? La réponse est la suivante : il laisse apparaître l'âme sentante ou, ce qui revient au même, le sentir sous la forme qu'il revêt pour l'animé, c'est-à-dire pour le vivant. La question devient alors : qu'en est-il du sentir propre au vivant ?

C'est dans ce sentir propre au vivant que plongerait l'état hypnotique ou tout simplement ce sentir définirait l'état hypnotique, soit la transe. Pour chacun, ce sentir est à la fois ce qui fait son individualité et ce qui le relie aux autres vivants, en particulier ceux de son espèce. Il est la somme de ses capacités et de ses apprentissages, il est sa mémoire, nullement celle de ses souvenirs, mais celle de ses impressions dans la multitude des situations qu'il a vécues et traversées, c'est-à-dire la mémoire de ses oublis. Cette mémoire, il n'a pas à la connaître ou à la réfléchir ; il n'a pas davantage à la maîtriser, il ne le pourrait en aucun cas, car c'est elle qui le maîtrise. Elle est en effet sa substance même, indépendante de son vouloir ou de son intellect et, pour le temps de la transe, préalable à eux. De plus elle ne saurait être dite bonne ou mauvaise. Elle est ce qu'elle est. C'est ainsi, sans que l'on puisse la qualifier davantage autrement que comme une force : petite ou grande, puissante ou impuissante. On a dit que la culture était ce qui restait quand on avait tout oublié. Ce pourrait être une définition de cette sensorialité première, comme sédiment sur lequel se fonde l'individu. En même temps, cette sensorialité n'est pas vierge, elle ne retourne jamais à la virginité ; elle accumule sans cesse et réorganise à la manière du vivant tout ce qu'elle reçoit. Dans cette puissance de l'oubli réside l'intelligence du sentir. Car il est intelligent de tout garder dans l'oubli pour que rien ne soit oublié et pour être prêt à user pour le mieux de ses expériences acquises. C'est jusqu'à cette forme de sentir que devrait conduire l'induction : elle déterminerait la nature de la modification thérapeutique et celle de la relation.

Il est facile de comprendre pourquoi ce sentir propre au vivant est le lieu de la modification. On peut le montrer de plusieurs façons. Lorsqu'on supprime le contrôle de la conscience et de l'intellect, on laisse libre cours non pas à l'inconscient, mais à une sensorialité qui ébranle la fixité de notre appréhension habituelle des choses et des êtres. Le mal-être, quelle que soit sa forme, relève toujours de la rigidité et de l'étroitesse. Or ce sentir se caractérise par une circulation incessante, une mise en communication et en correspondance. En d'autres termes, *si nous allons mal, c'est que nous ne voyons pas, que nous n'entendons pas, que nous ne sentons pas*. En nous immergeant dans le sentir sans réflexion, nous réapprenons la finesse et la perspicacité du sentir. La solution de nos problèmes se trouve au-dehors, dans une appréhension nouvelle de notre situation. Pour cela, il s'agit de laisser venir à nous tout ce qui est alentour. Ce sentir propre au vivant est d'abord un laisser se mélanger toutes les données et ensuite une attente que tout retrouve sa place. Cela a lieu parce que le sentir est celui d'un vivant et donc d'un organisme qui, bouleversé un instant, revient à son point d'équilibre. Notre situation dans l'existence dépend de trop de facteurs pour que nous soyons capables de les appréhender par un effort d'intelligence explicite. Celle-ci est toujours, d'une manière ou d'une autre, trop unilatérale. Elle ne peut nous mener que de Charybde en Scylla. Au contraire, la sensorialité première, logiquement antérieure à celle que nous connaissons en dehors de la transe, tient compte à la fois de tous les éléments, elle est donc capable d'aboutir à une refonte de notre position actuelle.

Il avait été affirmé au début qu'une modification ou une amélioration était recherchée à chaque séance. Il est possible de dire maintenant pourquoi. Ou bien, au cours de chaque séance, on use de l'état hypnotique, c'est-à-dire de la transe, ou bien on n'en use pas. Dans ce second cas, il n'y a pas eu de pratique de thérapie par l'hypnose. Cela peut arriver lorsque le patient n'est pas prêt ou ne le souhaite pas. Mais, si l'hypnose est pratiquée, s'il y a transe véritable, il ne peut pas ne pas y avoir de changement, puisque la transe est par définition une redistribution des cartes ou, si l'on veut, une agitation généralisée pour que toute chose reprenne sa place sans les contraintes des habitudes ou les voies balisées d'avance.

Il est cependant possible que la transe soit l'occasion d'une reculade. Car, si elle ne produit pas le changement souhaité, c'est que l'on n'a pas seulement perçu, pendant l'expérience, en quoi consistait le changement, mais que l'on a vu se dessiner toutes les conséquences. Or elles semblent à cet instant trop lourdes à porter. Le changement désiré tout à l'heure ne peut plus être voulu et effectué. Je pense à ce toxicomane qui s'était laissé aller à descendre là où il allait pouvoir briser ses chaînes et qui, au soupçon de ce à quoi cette rupture pouvait conduire, avait jugé plus prudent de prendre la fuite. C'est là une autre forme de peur qui fait sentir qu'il n'est pas possible d'entrer en transe impunément.

Ouverture

Nous disposons maintenant de bases suffisantes pour tenter d'éclairer quelque peu la nature de la relation entre hypnotiseur et hypnotisé. Puisque c'est l'ouverture du champ sensoriel et la réduction à ce champ qui sont facteurs de changement, la relation thérapeutique ne doit avoir d'autre but que de les préparer et de les rendre possibles. Mais, cette relation, c'est le thérapeute d'abord qui en a la charge. C'est donc à lui qu'il faut s'adresser et demander comment il joue sa partie. En premier lieu, quelle est sa posture quand il induit la transe ?

En quoi va-t-elle consister ? Il va tout simplement devoir faire siens tous les traits de la transe. Et, d'abord, il doit être sans pensée, c'est-à-dire sans intention, sans projet, sans technique et sans stratégie. Cela ne veut pas dire qu'il n'ait pas eu à apprendre son métier, qu'il ne connaisse pas la littérature qui en traite, qu'il n'ait pas fait l'apprentissage des multiples procédures qui sont maintenant dûment répertoriées et enseignées. Au contraire, il doit avoir assimilé toutes les formations possibles au point de pouvoir les oublier, à la manière de l'artisan qui ne s'interroge plus sur ses gestes ou sur l'utilisation de ses instruments, et qui pourtant les forme à la perfection et en use au mieux. Comme les escargots que l'on fait dégorger dans le sel pour qu'ils soient comestibles, il lui faut se débarrasser de tout ce sur quoi il pensait pouvoir s'appuyer : les multiples tours et procédés qu'il a pu apprendre. Maintenant il n'a rien, il est démuni au point de ne se souvenir de rien et de ne penser à rien. Il doit seulement vérifier qu'il est entièrement là, que ses soucis personnels ont disparu, qu'il n'a rien à prévoir, rien à attendre non plus, qu'il est indifférent au résultat de ce temps passé avec cet interlocuteur, qu'il s'est vidé jusqu'au manque d'espoir que quoi que ce soit puisse émerger de cette situation. Bref, qu'il est réduit à ce sentir propre au vivant en ce lieu et à cet instant.

Selon une autre caractéristique de la transe, le mode de perception ordinaire lui est dérobé, et un autre apparaît. En conséquence, il ne peut pas analyser et juger, il ne peut faire aucun diagnostic, c'est-à-dire se référer à des cadres de pensée inactuels. Il est seulement exposé à recevoir le patient dans le champ sensoriel auquel il participe. Ce qui exclut tout ce qui relèverait de l'affectif, du sentiment ou de l'émotion. Cet individu, qui devient éventuellement un interlocuteur, est indifférent au thérapeute. Leur rapport n'est donc pas d'ordre affectif, il ne relève pas de l'empathie, pas plus que d'un succédané de l'amour. *Le patient n'attend pas de l'estime, de la compassion ou de la sympathie. Une seule chose compte : qu'il puisse, lui, le patient, se sentir accepté, reconnu, considéré dans son intégralité, c'est-à-dire avec exactitude, sans qu'il ait à cacher ou à atténuer quelque part de lui-même que ce soit, sans qu'il ait même à pressentir qu'il ne cache ou n'atténue rien.* Il est, dans ce champ sensoriel, sans le secours de sa conscience ou de sa volonté, donc incapable de jouer un rôle, de présenter une image, de donner à voir son meilleur profil. Ses défenses n'existent pas. Dans un instant, il pourra les édifier à nouveau, mais non durant les minutes où il accepte de répondre au contact dans ce champ magnétique, semblable à celui créé par les rhapsodes lisant Homère.

L'attention portée à la respiration qui n'en a nul besoin peut aussi servir de modèle à la position du thérapeute. Lorsqu'il se perd dans le champ sensoriel, il abolit la distance qui le sépare de ce qu'il perçoit, puisqu'il s'interdit de formuler un diagnostic ou de porter un jugement. Il se contente d'être dans ce sentir qui va de soi et qu'il n'a donc ni à vouloir ni à penser. Mais, lorsque se fait jour la réaction du patient, il ne peut pas ne pas sentir si elle est en décalage, et en quoi elle l'est, avec la fluidité attendue, c'est-à-dire avec la cessation de la rigidité et de l'étroitesse qui caractérisaient le mal-être. À ce moment, le thérapeute doit sortir de la transe, c'est-à-dire de ce champ sensoriel immédiat pour exprimer ce décalage et, à partir de ce décalage, proposer une nouvelle forme de transe qui s'efface.

Sous cet autre aspect, le thérapeute n'est plus sans intention. Dès que le rapport est établi dans cet espace et ce temps selon l'autre mode perceptif ou sensoriel, le thérapeute s'impose, il n'est plus indifférent, il veut entraîner son interlocuteur dans la transe, il souhaite avec force que ce dernier se laisse exister sans protection et sans projet tel qu'il est aujourd'hui et tel que se présente pour sa part cet aujourd'hui. Le thérapeute fait pression, comme quelqu'un qui a du goût pour la liberté et voudrait bien qu'un autre puisse en apprécier le fruit. Il pousse comme le vent favorable, mais il ne force pas. Ce n'est pas qu'il fasse alors preuve de respect ou qu'il soit habité de quelque préoccupation éthique, mais simplement il sait que les choses ne vont pas ainsi, car nul ne peut vouloir quelque chose pour un autre, surtout si cela lui est essentiel.

Comme thérapeutes, nous en faisons toujours trop. Nous nous escrimons à chercher des solutions et à les proposer inlassablement comme s'il était certain que la technique adéquate existe pour cet individu et dans cette circonstance. Nous pensons en tout cas que c'est à nous de prendre l'initiative. C'est contraire à la logique de la transe. C'est en elle que se passent les choses importantes, c'est par elle que les transformations durables sont opérées, c'est donc à elle qu'il nous faut revenir et nous abandonner. Quand nous sommes rendus à l'évidence que nous ne pouvons plus rien faire, que nous ne savons plus que faire, que nous sommes au-delà de notre compétence, que nous devons laisser se faire la solution, il arrive bien souvent que ce soit le patient qui nous tire d'affaire, c'est-à-dire que ce soit lui qui, sans faire trop attention, livre le secret du chemin possible. Ce n'est pas là un hasard, mais une règle bien établie. Avec notre activisme, nous le décourageons de se mettre à son compte, au contraire, dans le désert de notre impuissance, mais qui a succédé pour lui à l'expérience d'avoir été vu, entendu et senti, il est aspiré par une énergie qu'il ignorait.

Il n'y a pas de relation

On pourrait se demander finalement s'il est légitime, dans la pratique de l'hypnose, de parler de relation thérapeutique. Car il semble bien tout d'abord qu'il n'y ait pas de relation entre ce qu'on appelle des sujets, puisque, comme on l'a vu, les deux se situent là où le moi ou le je sont en suspens. Si ces individualités sont en relation, elles ne forment donc pas une relation à deux, car le patient est venu avec son monde, et le thérapeute est là pour s'en approcher en s'abstrayant du sien. Il n'y a pas non plus de relation thérapeutique en ce sens que, dès son commencement, elle est marquée par le signe de sa disparition. Ce n'est pas une relation amoureuse, ce n'est pas une relation amicale, ce n'est pas une relation de travail, c'est un rapport qui, à chaque séance, doit conduire le patient à la solitude de la décision et de l'action. De l'autre côté, à chaque séance le thérapeute doit disparaître, doit avoir disparu, doit être oublié et rendu inutile. La relation n'a pas plus de durée que celle du mouvement des danseurs. Il s'évanouit dans l'air dès qu'il vient d'être tracé. Le rythme et les accords s'élèvent de l'espace sensoriel et magnétique, c'est-à-dire de l'environnement, de la variété des situations, des circonstances et des gens. Chacun est une parcelle de cet espace. Il lui suffit de s'y laisser porter et emporter. Donc « n'empêche pas la musique ».

8

Théorie autodégradable

Chaque fois que l'on me demande de parler ou d'écrire sur ou à propos de ma pratique, je suis dans l'embarras. J'ai l'impression de ne rien tenir en réserve. Tout ce que je croyais avoir compris ou pensé n'est plus que du sable qui glisse entre mes doigts. Il faut reprendre comme si rien n'avait été avancé auparavant, comme si on avait rendu compte de si peu de chose et même comme si ce si peu retournait à son ombre. Il en est de même pour les lecteurs ou les auditeurs. Je me souviens d'avoir passé un soir plusieurs heures à répondre aux questions de quelques personnes attentives, mais, le lendemain, de ces mêmes personnes était venue la question : « Mais alors qu'est-ce que c'est que l'hypnose ? » Tout se passe comme si on ne pouvait pas construire un discours qui rendrait compte de la chose ou du moins comme si ce discours ne cessait pas de se déliter au fur et à mesure de sa production. De ce phénomène particulier il doit bien y avoir des raisons. En voici quelques-unes.

1) Ce n'est pas moi qui ai écrit ces livres sur l'hypnose. Ce que j'en ai pensé ou écrit, je ne peux plus ensuite me l'attribuer.

2) Même si c'était moi, il n'est pas possible d'écrire sur l'hypnose, car l'opération est contradictoire.

3) S'il était possible, sur l'hypnose, de tenir des propos qui ne s'effriteraient pas sitôt produits, notre culture ne comprendrait pas de quoi il s'agit.

1) Donc, d'abord, ce n'est pas moi qui ai écrit. Je veux dire : ce n'est pas mon moi qui a écrit. Une amie américaine venait de lire le manuscrit de *Qu'est-ce que l'hypnose ?* Elle me disait que je devais en être fier. J'avais répondu sans réfléchir : « Mais ce n'est pas moi qui ai écrit. » Pourquoi cette réponse bizarre qui m'était sortie des lèvres sans que j'aie eu le temps d'y prêter attention ? J'en ai compris plus tard la raison : quand on entre dans le domaine de l'hypnose, on est introduit à l'impersonnalité.

Qu'est-ce que cela veut dire ? L'impersonnalité de leur œuvre est revendiquée par nombre de peintres et d'écrivains. C'est R. L. Stevenson[1] qui ne se veut que l'« écriteur ». Il dit se contenter de transcrire et d'ordonner ce que lui inspirent les *brownies* durant la

---

1. *Olalla des montagnes et autres contes noirs*, précédé de : *Un chapitre sur les rêves*. Préface et traduction de Pierre Leyris, Paris, Mercure de France, coll. « Domaine anglais », 1975.

nuit. C'est Van Gogh qui se refuse à signer ses toiles, parce qu'elles lui viennent d'ailleurs. C'est Henri Michaux auquel on a demandé d'écrire sa biographie et qui livre quelques pages squelettiques, dans lesquelles il parle à la troisième personne. Et puis, il y a ceux qui publient leurs œuvres sous des pseudonymes divers de Pessoa à Romain Gary. Ou encore Doris Lessing, au faîte de la notoriété, qui envoie un manuscrit à plusieurs éditeurs et qui a le plaisir, l'ayant signé d'un autre nom, de le voir refusé par tous.

Pourquoi cette impersonnalité ? Parce que toute œuvre digne de ce nom ne peut être personnelle. Si elle est peu ou prou une création et dans la mesure où elle est une création, elle ne peut être qu'inspirée, soufflée au peintre, à l'écrivain ou à l'artiste par des voix dont il ne connaît pas l'origine. Brahms s'enfermait des journées entières et attendait, pour commencer à écrire, de se trouver dans un état qu'il nommait lui-même hypnotique[2]. Dans cet état, il savait ne plus chercher, mais seulement se laisser trouver. Si ces créateurs trouvent, c'est parce qu'ils ne cherchent plus ou que leur recherche a pu atteindre la limite où elle s'est reconnue vaine. Leur tentative et leur effort personnels ont été conduits jusqu'au temps du désespoir de trouver. À une certaine époque de sa vie, chaque matin Picasso se levait avec la

---

2. Arthur M. Abell, *Entretiens avec de grands compositeurs sur la nature de leur inspiration et de leur création*, Paris, Éditions du Dauphin, 1982.

certitude d'avoir peint la veille sa dernière toile. Assuré qu'il ne peindrait plus, il pouvait le soir se laisser posséder par la furie de peindre.

Mais n'est-il pas outrecuidant de laisser croire qu'il existe une proximité entre l'expérience de ces écrivains, peintres ou musiciens et celle d'un thérapeute ? En d'autres termes, qu'en est-il de l'impersonnalité en hypnose ? Pour le savoir, il faut se placer au moment où quelque chose s'y invente. C'est le même processus avec la même peine ou la même incertitude, avec variation d'intensité dans le génie. J'ai vu s'entretenir avec un couple un thérapeute familial romain. Pendant plus d'une demi-heure, l'ennui est allé croissant. Tout effort du médecin pour sortir ces deux personnages de leur léthargie était voué à l'échec. Puis, à un moment imprévisible, une phrase prononcée par le thérapeute avait brusquement réveillé les interlocuteurs, et l'entretien avait pu se terminer sur des propositions recevables. Que s'était-il passé et pourquoi ce brusque changement du cours des choses ? J'en ai demandé la raison à Maurizio Andolfi, puisque c'est de lui qu'il est question. Il m'a répondu qu'après tout le temps passé à chercher des solutions pour ces fâcheux il avait désespéré et reconnu que sa prestation était un échec. Or c'est à cet instant même qu'il lui était venu l'idée élémentaire qui avait débloqué la situation. Andolfi ajoutait que maintes fois il avait connu la même séquence. Il soulignait que l'on ne pouvait pas tricher, qu'il fallait en vérité être certain qu'il n'y avait plus aucune chance de sortir de l'impasse, ce qui conduisait ensuite à se désister de toute prétention à être à l'origine de la trouvaille, soit comme bon élève appliquant les recettes enseignées, soit comme maître se croyant devenu expert. *L'impersonnalité est la condition de l'invention et, en l'occurrence, de l'invention ou de la réinvention de l'existence, ce que nous appelons le changement.*

Comment la décrire plus avant ? Comment est-elle possible sans nous faire sombrer dans la dépression ou l'égarement ? Je pense qu'il s'agit de quelque chose de très simple, même si ce très simple est d'une grande difficulté et réclame un apprentissage. Ce qui est en jeu est une certaine qualité d'attention.

Le thérapeute qui reçoit un patient n'est là que pour ce visiteur ; il est devenu personne. Il cesse d'être préoccupé par lui-même, non seulement il abandonne ses soucis quotidiens, mais il perd toutes ses certitudes. Il n'a jamais reçu nul autre ; celui-ci est le premier. Il n'a jamais rien appris et ne sait rien de ce qui a trait à son métier, même s'il le pratique depuis plusieurs décennies. Aujourd'hui est un premier jour, et cette femme ou cet homme est son premier client. Il ne peut prendre appui ni sur son savoir ni sur sa compétence. Il doit se désencombrer de tout cela. Son seul souci est d'être ouvert à ce qu'il voit, à ce qu'il entend, à ce qu'il sent venu de l'autre. Mais ce qu'il voit, ce qu'il entend, ce qu'il sent, il lui faut se garder de le traduire en pensée ou en mot. Il ne sait pas qu'il voit, qu'il entend et qu'il sent. Il ne voit pas qu'il voit, il n'entend pas qu'il entend, il ne sent pas qu'il sent. Il est sans réflexion aucune et se contente de se laisser envahir. Il demeure dans l'immédiateté du contact, un contact sans aucune distance. Il est donc envahi par l'autre, il est, au sens banal du terme, hypnotisé, il se laisse imprégner, il est sous influence. Il sent tout à la fois sans rien privilégier ni rien tenir à l'écart. Il n'est plus lui, il est libre de lui-même. Il n'est pas non plus l'autre et encore moins à la place de l'autre. Il est seulement vide pour que l'autre puisse développer en tous sens sa singularité, sans crainte d'être incompris ou jugé.

Sur quoi le thérapeute prend-il appui pour ne pas s'effondrer dans ce vide impersonnel ? Sur son existence d'être vivant. C'est à cette existence qu'il s'est réduit pour pouvoir entendre sans entendre, voir sans voir et sentir sans sentir. En cela, il va à l'encontre de ce que nous considérons spontanément comme spécifique de l'humain. Celui qui pense et qui parle ne peut qu'être tenté de tenir à distance sa condition d'être vivant. Cette condition, il a toujours voulu la maîtriser, par exemple, en conjurant la mort par le culte des morts ou en surmontant la peur de la vie par le contrôle de la fécondité ou par l'espoir de la voir sortir des éprouvettes. Se réduire à l'état d'être vivant, c'est ne plus se préoccuper ni de sa vie ni de sa mort, c'est se contenter d'être en cet instant dans son corps en correspondance avec l'environnement, d'être en accord avec l'espace sans projet et sans volonté. C'est encore renoncer à être spectateur pour entrer dans le mouvement des choses et des êtres avec souplesse et détermination. *L'appui que prend le thérapeute sur son existence d'être vivant pour éviter de s'effondrer dans le vide impersonnel est donc cela même qui accentue davantage son impersonnalité.*

Comment serait-il possible de construire un discours théorique sur ce genre d'impersonnalité qui abandonne tout savoir explicite et se réduit à une présence de corps ? Au début d'une séance, en effet, au début de toute séance, même avec quelqu'un que l'on a rencontré plusieurs fois, il faut repartir de zéro, ne rien tenir pour acquis, être vierge de toute stratégie. Ne pas avoir de pensée, si ce n'est celle de vérifier que chacun de nos membres est à la fois détendu et tonique, qu'il n'existe aucune zone d'angoisse ou de contention, que nous sommes prêts à recevoir avec la même tranquillité le résultat positif ou négatif de cette séance. Autrement dit, le discours d'hier où nous estimions avoir formulé quelque chose de cette expérience, il est nécessaire de le replonger dans la négligence du connaître et du comprendre. Ce n'est peut-être pas que nous n'ayons rien dit, c'est qu'il faut impérativement nous situer à l'instant et au lieu où nous n'avions encore rien dit.

2) Donc, ce n'est pas à moi que je peux attribuer l'écriture de quelques livres sur l'hypnose, puisque la

pratique de l'hypnose m'interdit pareille attribution. Mais ce n'est pas moi en un second sens, parce qu'il est contradictoire de parler d'hypnose ou de parler de l'hypnose. Léon Chertok l'avait déjà fait remarquer à propos de la transe. Il y a une différence radicale entre quelqu'un qui parle en transe et quelqu'un qui parle après la transe. C'est un peu la même différence qu'il existe entre quelqu'un qui pourrait parler en rêve, et traduire immédiatement en dormant ce qu'il éprouve ou perçoit en rêve, et quelqu'un qui s'est réveillé, qui raconte son rêve et qui l'interprète. Il n'est pas possible de surmonter cette dualité. Mais la différence entre être en transe et disserter sur la transe est plus grande encore. Nous sommes aux prises avec un dilemme : si je suis en transe, je n'ai pas à l'égard de la transe la distance suffisante pour la décrire, j'y suis enfermé, et, même si je reste quelque peu conscient, je ne peux rien en dire. Mais, si je ne suis plus en transe et si je me demande ce qui s'y est passé, la transe m'échappe. Si j'ai lâché prise, c'est en particulier de toute compréhension que je me suis détaché. Un patient me racontait un jour que son professeur de tennis le voyait comme quelqu'un qui, n'ayant pas encore achevé son coup droit ou son revers, montait dans les gradins pour voir comment il avait joué. Il était donc incapable d'entrer dans le jeu. Celui qui danse à la perfection danse intelligemment et adapte ses mouvements à la musique ou à son partenaire, mais il ne comprend pas ce qu'il fait en dansant, sinon il va perdre la densité et la fluidité de ses mouvements. Kleist[3] parle du jeune homme qui un jour constate sa beauté et qui à l'instant même perd la grâce de ses mouvements.

Il en est donc ainsi de celui qui veut tenter de théoriser l'hypnose. Il ne peut qu'imaginer après coup ce qui s'y passe. C'est une expérience étrange que de constater que, chaque fois que l'on croit tenir une définition de l'hypnose, celle-ci nous échappe inévitablement. Nous pensons alors, en effet, que nous n'avons tenu compte que de quelques éléments, que les choses sont beaucoup plus complexes et, en tout cas, que le moindre geste plénier rend mieux compte de ce qui se passe ou s'est passé que les discours les plus subtils. Il est normal que nous soyons découragés. C'est donc encore une manière de dire que le milieu dans lequel se développe notre pratique est celui de l'impersonnalité.

C'est ce qu'exprimait à sa manière un homme auquel j'essayais, à la fin d'une séance, de faire dire ce qu'il sentait : « Je ne peux pas le dire, j'ai été expulsé de moi. » Il y a des choses qui se passent et dont il semble que nous soyons le témoin, mais d'une autre façon elles ne nous concernent pas, comme si ce n'était pas à nous qu'elles arrivaient, mais à un individu quelconque, à un x toujours substituable.

Et, pourtant, nous ne pouvons pas nous dispenser de réfléchir sur notre pratique, nous ne pouvons pas

---

3. *Le Théâtre des marionnettes. Œuvres complètes*, Paris, Gallimard, 2002.

ne pas chercher à comprendre ce que nous faisons comme thérapeute et ce que nous éprouvons comme pratiquant de l'hypnose. Ce serait une démission grave de notre statut d'être humain que de faire et de faire faire des expériences dont nous ne pourrions pas rendre compte au moins partiellement. Il n'y a qu'une solution : sans cesse tenter de réfléchir sur l'expérience et sans cesse reconnaître et sentir que tout ce que nous en disons reste une approche insuffisante. *Toute théorisation de l'hypnose est autodégradable.*

Il faudrait à ce propos nous interroger sur l'usage particulier qui est fait du langage en hypnose. Nous y verrions en quoi une compréhension de l'hypnose est fragile. Il y a d'abord le langage que nous utilisons pour l'induire. Il doit conduire à la confusion : il est absurde ou tautologique, il est donc dépourvu de sens et ne peut conduire à aucun éclaircissement. Nous usons encore du langage pour suggérer. Il s'agit là d'une parole qui use de l'impératif : « Faites-le maintenant. » En ce cas, les mots sont un faire ; ils effectuent la modification. Mais alors ils se fondent dans l'action et ne nous renseignent pas sur la nature de l'opération. En troisième lieu, nous nous servons de métaphores. Le langage tend alors à la poésie. Nous savons qu'il est efficace, mais la nature de cette efficacité nous échappe. Ces trois manières d'user du langage ne nous donnent donc pas les mots qui nous permettraient de retenir dans nos mains une véritable définition de l'hypnose.

Si, comme on l'a vu à plusieurs reprises, il est possible de dire quelque chose de l'induction de la transe, elle-même nous échappe parce que nous ne pouvons que lui tourner le dos et attendre qu'elle nous pousse. Il en est d'elle comme de l'inspiration évoquée plus haut ; on peut s'y préparer ou s'y prêter, on ne peut pas la tenir en face de nous. Il nous est bien difficile d'admettre que l'efficacité d'une thérapie, comme la valeur d'une œuvre, ne naît pas de nous ; elle vient du dehors, elle vient d'avant, elle vient de ce qui est alentour et qui nous porte.

3) Donc, si ce n'est pas notre moi qui peut écrire sur l'hypnose, en second lieu il est contradictoire ou inconsistant d'écrire sur l'hypnose. Enfin, s'il était possible d'écrire sur l'hypnose, notre culture ne comprendrait pas de quoi il s'agit.

Pour le montrer, il suffit de s'attarder un instant sur la manière dont l'hypnose est couramment interprétée. Si l'on demande à des personnes formées à l'hypnose de dire en quoi elle consiste, ils répondent avec une belle unanimité qu'elle est un état de conscience modifié. On saisit très bien la raison d'une telle réponse : la conscience n'est-elle pas ce qui donne à l'être humain ses titres de noblesse ? Et, pourtant, cette définition n'a guère de sens. D'abord, on ne sait pas ce que signifie conscience tant que l'on n'a pas dit de quoi elle était conscience et tant que l'on n'explique pas de quelle nature est la modification. De plus, on veut oublier que la formule «état de conscience modifié » regroupe des expériences aussi différentes que celles de la drogue, de la mystique, de la transe chamanique, etc. Donc, au cas où elle signifierait quelque chose, elle ne dirait sur l'hypnose rien de spécifique. Cette définition qui n'a pas de sens ne s'impose pas moins car nul ne doute dans notre culture de ce qu'est la conscience et que ce soit à partir d'elle que commence, se poursuit et s'achève tout acte proprement humain. Il ne servirait à rien de corriger le terme de conscience en lui adjoignant son contraire, l'inconscient, car ce serait toujours faire de l'individu l'alpha et l'oméga de l'existence.

Or ce point de vue adopté sans examen me semble aller à l'encontre de ce que nous pouvons soupçonner du phénomène hypnotique. Il faut remarquer déjà que Milton Erickson parlait peu de conscient et d'inconscient, mais bien plus souvent d'esprit conscient ou d'esprit inconscient. Par là, il évitait de faire de la conscience et de l'inconscient des instances mythiques, car conscient et inconscient pour lui n'étaient que des adjectifs, c'est-à-dire des modalités de l'esprit humain. Comme pour brouiller les cartes, il parlait même de conscience inconsciente. Mais Erickson allait beaucoup plus loin. Son esprit conscient ou inconscient est toujours couplé avec des comportements. Par exemple : « Le comportement hypnotique est un comportement de l'individu qui est normal, contrôlé et orienté vers un but... Vous avez le comportement adéquat, dans le lieu adéquat, en faisant ce qui est adéquat au moment adéquat[4]. » L'état hypnotique serait donc la résultante d'un rapport à l'espace environnant. Il serait la posture adoptée par un individu en relation avec l'entourage proche ou lointain à un instant donné. La guérison ou le mieux-être se définiraient non plus comme la modification d'une conscience ou d'un psychisme, mais par la position d'un corps intelligent qui se modifierait sans cesse en fonction des rencontres, des événements et du milieu.

Un Occidental ne serait-il pas déconcerté d'apprendre que le ressort de l'hypnose est en dehors de lui, qu'elle peut être un processus de modification, mais dans la mesure où elle puise sa force à l'extérieur ? Il faut replacer l'hypnose dans les millénaires de son histoire et de sa géographie où la transe se ramène toujours à une transe de possession. Qu'est-ce que cela signifie ? Cela veut dire que l'individu en transe doit laisser venir quelque chose des puissances qui le dépassent et qui sont hors de lui. Peu importent les images utilisées pour représenter ces puissances. Ce sont les esprits pour les chamanes, ce sont les ancêtres pour la Chine, les dieux de l'Olympe pour les Grecs, la Nature du Tout pour les Stoïciens. On a vu plus haut que les créateurs en littérature, en musique, en peinture savaient fort bien ne pas être la

---

4. *Collected Papers*, New York, Irvington Publishers, 1980, vol. II.

source de leurs productions. L'inspiration suppose que quelque chose souffle d'un ailleurs.

Mais, si cela nous fait peur d'entendre parler d'esprits, de dieux, d'ancêtres ou de Tout, nous pouvons banaliser et laïciser la perspective. Par exemple, nous pouvons nous souvenir qu'avant notre arrivée il y avait quelque chose et que, sans ce quelque chose, jamais notre esprit ne se serait ouvert. Or il y a toujours quelque chose « avant ». Nous sommes précédés. Cela n'a rien de mystique ou d'extravagant, c'est minimal. Quand Wittgenstein court après les fondements de la certitude d'une proposition, pour reconnaître que « le langage n'est pas issu d'un raisonnement », il lui faut faire un détour : « Je veux considérer ici l'homme comme un animal ; comme un être primitif auquel on accorde certes l'instinct mais non le raisonnement. Comme un être dans un état primitif [5]. » L'animalité n'est pas un dieu ou un esprit, certes, mais il s'agit toujours du même éloignement, du même écart, de la même dissidence. Wittgenstein parlait aussi, comme on l'a vu, de « forme de vie » à laquelle nous devons nous conformer ou que nous devons inventer. C'est plus noble que l'animalité, mais c'est toujours la même reconnaissance nécessaire d'un ailleurs, d'un dehors, d'un extérieur. On pourrait très bien se contenter de dire que, dieux, djins ou *daïmôn*, ce sont seulement les circonstances, ce qui nous

---

5. *De la certitude, op. cit.*, p. 965, § 475.

entoure, qui parle et nous interpelle, les circonstances de lieu, de temps et de personnes.

Alors, dans ces conditions, *notre tâche la plus première, la plus élémentaire, la plus basique, c'est de laisser venir la chose qui nous importe, celle qui nous remettra d'aplomb dans notre existence.* Il y a les circonstances que nous connaissons, en particulier celles qui nous font mal, et puis il y a les circonstances que nous soupçonnons à peine, mais qui sont déjà l'avenir. Avec elles, qui sont déterminantes pour l'aujourd'hui qui conditionne demain, il faut se montrer habile et attentif. Il arrive que leurs voix soient si mêlées au bruit que nous ne les entendons pas vraiment. Le mieux est de laisser faire ce qui doit se faire sans savoir explicitement de quoi il s'agit, mais que déjà nous savons et qui peut se faire savoir. Donc ne rien faire, si ce n'est attendre.

Pour finir sur une note sérieuse : la mystique du garçon de café.

Au garçon de café apprenti, on recommande de ne pas regarder les tasses pleines qu'il porte sur un plateau. Il risquerait de les renverser ou du moins de les faire déborder. Ce conseil est bizarre, car enfin il faut bien voir en permanence si le plateau est maintenu à l'horizontale. Autrement, en cas d'inclinaison défectueuse, comment rectifier la position ? Cela relève du plus élémentaire bon sens. Est-ce bien sûr ? Le garçon de café ou la serveuse qui agissent de la sorte supposent qu'ils sont ou risquent d'être à tout instant en état de déséquilibre. C'est cela leur guide : surtout éviter la catastrophe et donc rester vigilants. Oui, mais c'est pourtant le moyen le plus sûr de voir la soucoupe offrir à la tasse ce que l'on nomme vulgairement un bain de pied. Pourquoi en est-il ainsi ? La réplique au bon sens est de l'ordre de la pratique. Tout garçon de café et toute serveuse rompus à leur métier se contentent de crier « Chaud devant » et, comme des danseurs habiles, peuvent se faufiler parmi les clients, les tables et les chaises sans jamais se préoccuper de ce qu'ils tiennent sur la main. Ils sont sans cesse en équilibre et trouvent spontanément la posture idoine qui tient compte de tous les facteurs qui composent la scène. Ainsi en est-il tous les jours : *si nous laissions le temps à notre corps intelligent d'être inspiré par la totalité de notre existence, nous trouverions les gestes qui en tiennent compte et nous serions délivrés de bien de nos maux.* Surtout ne pas penser, mais laisser la vie multiforme nous conduire.

9

Laisse-le exister

Voici un exemple de ce que peut être une supervision dans le cadre d'une formation à la psychothérapie utilisant l'hypnose.

– Le superviseur : *Vous vous trouvez devant une patiente qui a des difficultés.*

– La thérapeute : *C'est une femme dont le fils s'est suicidé. Il a laissé une lettre disant que l'on ne cherche pas à savoir pourquoi il s'est suicidé. Elle vient à la fois pour faire son deuil, mais surtout pour savoir pourquoi son fils s'est suicidé.*

– S. : *Est-ce que vous pouvez voir, entendre, sentir, toucher cette femme, sans vous arrêter à rien de particulier ? Laissez-vous prendre cette position.*

– T. : *Je sens sa souffrance de mère qui a perdu son enfant. J'imagine pourquoi cet enfant s'est suicidé. Il était fragile, mais têtu, il a eu un ennui quelconque et a voulu en finir.*

– S. : *Par là vous entrez dans le projet de cette mère, vous vous mettez à sa place. Laissez tomber tout cela. Ce n'est pas ce qu'implique votre métier. Prenez la position de quelqu'un qui est thérapeute et qui doit seulement laisser vivre cette personne dans ce qu'elle est et dans ses possibilités.*

– T. : *Mais comment faire ?*

– S. : *Comme ça. Est-ce que vous la voyez en particulier dans sa possibilité ou son impossibilité de tourner cette page de son existence ?*

– T. : *Je ne vois rien.*

– S. : *Attendez seulement que quelque chose vous apparaisse, mais qui ne vous appartienne pas, qui soit le fait de cette femme.*

– T. : *Je vois qu'elle a de petits mouvements de hanches… Elle se redresse… Ses épaules sont maintenant en place… Sa tête est droite.*

– S. : *Est-ce qu'elle vous fait un signe de la tête ?*

– T. : *Non, elle est seulement là, bien dans son corps.*

– S. : *Vous pouvez maintenant vous arrêter. Il sera inutile de lui parler de ce que vous avez expérimenté. Elle sait que vous avez changé et qu'elle va pouvoir changer.*

Disponibilité

La situation était donc celle de ce que l'on nomme une supervision ou un contrôle, ou encore une intervision. Un thérapeute rencontre un autre thérapeute censé avoir plus d'expérience que lui. Le thérapeute apprenti parle de l'un de ses patients, ordinairement un patient ou une patiente qui lui fait difficulté, et le thérapeute prétendu confirmé réagit à ces propos, pouvant suggérer, par exemple, comment il serait possible de surmonter les impasses éventuelles de la cure. Ce genre de rencontre est de pratique courante dans la formation des psychanalystes ou des psychothérapeutes. L'utilisation de l'hypnose dans une thérapie peut ne pas modifier substantiellement la manière de pratiquer la supervision. On en reste à un dialogue assorti de conseils ou de prises en compte des angoisses, des maladresses ou des méconnaissances du thérapeute apprenti.

Il est également possible, bien que ce ne soit pas répandu, de proposer à ce dernier de se mettre en transe et d'y prendre contact avec son patient. Se dessinent alors bien souvent, aux yeux du thérapeute, les traits par lesquels se caractérise la forme de la relation entretenue par lui à l'égard de son patient. La transe permet alors, avec une fréquence non négligeable, de transformer cette relation et, en conséquence, les difficultés de vie ou les symptômes du patient. Mais une telle procédure pose quantité de questions qui demandent éclaircissement.

Une supervision dans la forme dont on vient de donner un exemple, c'est-à-dire qui inclut l'usage de l'hypnose, par quoi doit-elle commencer ? À mon avis, il est indispensable de vérifier d'abord que le thérapeute qui se soumet à la supervision est bien dans la position exigée par son rôle, lorsqu'il se met en présence de son patient. S'il ne l'est pas, il doit attendre que sa propre transe, durant la séance de supervision, lui permette d'atteindre à l'équanimité sans laquelle la relation au patient ne peut pas vraiment s'établir[1]. Dans le cas cité plus haut, la thérapeute a fait montre de connivence avec sa patiente. Elle s'est laissé emporter à mimer ce que vivait cette patiente et en particulier à partager son désir de rechercher le pourquoi du suicide de son enfant. Il fallait donc l'inviter à revenir à elle et à reprendre sa position de thérapeute. Nos visiteurs ne nous demandent pas de penser et de sentir comme eux, mais de les préparer à s'inventer. Dans d'autres cas, le thérapeute peut être agacé par le patient, ou angoissé par la souffrance qui lui est présentée, ou désarçonné par l'agressivité dans laquelle il lui semble qu'il n'est pour rien. Toutes ces réactions immédiates sont normales parce

---

1. Cette équanimité suppose en particulier, comme on l'a vu plus haut, à diverses reprises, que le thérapeute soit prêt, avec la même tranquillité, à la réussite ou à l'échec de l'entreprise ou, pour le dire en d'autres termes, qu'il ne veuille rien pour le patient, si ce n'est ce que ce dernier veut pour lui-même.

que le thérapeute, au lieu de se mettre en suspens, ou bien a répondu en écho aux humeurs du patient, ou bien a voulu imposer sa manière de procéder.

À distance

Lorsque le superviseur a constaté que le thérapeute avait trouvé ou retrouvé sa disponibilité et sa liberté de mouvement (mais qui peuvent éventuellement être perdues à nouveau), il peut alors suggérer au thérapeute de se mettre en présence de son patient en excluant tout préjugé et tout présupposé, en oubliant tout le savoir explicite qu'il peut tenir de son patient, en laissant ce dernier apparaître tel qu'il est dans sa complexité et sa particularité. Ordinairement, on constate le fait suivant : bien que la chose ait lieu en l'absence physique de ce patient, le thérapeute n'en reçoit pas moins sa présence et réagit à sa manière à l'égard de ce patient. Le thérapeute sera, par exemple, angoissé ou il ressentira avec désagrément son impuissance à trouver ce qu'il conviendrait de dire ou de faire, ou bien encore il ne percevra chez le patient aucune possibilité d'améliorer son état. Alors se pose une première question : lorsque le thérapeute se met en présence de son patient ou, pensera-t-on, lorsqu'il imagine être en présence de son patient, est-ce bien le même patient que celui qu'il rencontre dans son cabinet ? Et seconde question corrélative : ce que ressent le thérapeute dans ce jeu de présence et d'absence est-il semblable à ce qu'il ressent lorsque le patient lui fait face en chair et en os ? (C'est le même problème qui est posé lorsque l'on propose à un patient, lors d'une séance d'hypnose, de se rendre présent à une personne de son entourage qui n'est pas là en vue de pouvoir transformer sa relation avec elle.)

À la première question, on répondra volontiers que c'est le même patient, mais lui plus encore, qui est rencontré dans l'absence. En ce sens que le patient n'est plus vu, entendu, senti en fonction de ce qu'il manifeste ce jour-là et dans ce contexte restreint ; il est perçu avec l'ensemble de ses limites et de ses possibilités. Quand on se trouve physiquement devant une personne, on est enclin à ne retenir d'elle que l'explicite actuel. En transe, parce que la transe amplifie et aiguise les perceptions, c'est l'infinie complexité de l'interlocuteur qui est donnée. La présence physique est limitatrice ; l'absence physique permet de restituer l'ensemble du champ sensoriel constitué par cette relation et qui est encore présent à la mémoire corporelle. En l'absence de son patient, c'est-à-dire en sa présence que l'on pourrait dire hallucinée, mais qui est tout simplement sentie, comme elle aurait pu l'être ou comme elle aurait dû l'être en sa présence, le thérapeute permet à son patient d'exister sans protection et sans faux-fuyant. Ainsi, à l'occasion de la supervision, le thérapeute va faire l'apprentissage de ce type de relation qui est spécifique de l'utilisation de l'hypnose en thérapie.

De la même façon, et ce sera la réponse à la seconde question, le thérapeute qui se prête à la supervision est plus à même, en l'absence physique du patient, de saisir quelle est sa propre position dans ce face à face, quelle est la nature exacte de son comportement. Il ne craint plus de manifester (ce qu'il lui faut éviter lorsqu'il est en présence physique du patient) les désagréments que lui causent la situation ou le désarroi, qui fait suite à son incompétence, ou encore toutes autres pensées, sentiments ou émois qui amenuisent l'acuité de son attention. Il peut donc, lors de la séance de supervision, et grâce à la transe, traiter ces inconvénients et mieux tenir sa place. *Lorsqu'il sera libéré, dans la transe, de son désarroi, de la tristesse de son incompétence, de sa peur de l'échec, il pourra rendre plus perçant son regard et plus fine son audition, et ainsi aller à la rencontre du patient avec plus de légèreté et plus de détermination.*

Voici un autre cas de supervision qui pose de nouvelles questions.

Il s'agit d'un homme qui a eu un accident de travail. Il est accompagné de sa femme. Il est figé dans sa douleur. Il apparaît que sa femme est son esclave. Le thérapeute ne peut rien faire. Je lui demande ce qu'il voit. Il voit seulement le couple entrer dans son bureau ; il est frappé par-dessus tout de la tristesse de la femme.

C'est elle qui devrait être aidée, et en même temps le thérapeute se demande s'il ne devrait pas faire une thérapie de couple ou au contraire demander à la femme de ne plus venir. Après un long moment durant lequel le thérapeute se laisse aller en transe, il retrouve sa liberté, alors qu'il était accablé par ce cas et souhaitait en être débarrassé. Il est très désireux en fin de séance de revoir ce couple.

Un mois plus tard. À la séance suivante, l'homme est venu seul. Comme par hasard, la femme a trouvé un travail à mi-temps et ne peut venir aux séances qui ont lieu l'après-midi. La séance se déroule, à l'hôpital et un peu par hasard, dans le cabinet du médecin qui a fait des infiltrations, lesquelles avaient eu de l'effet pendant un temps. Le thérapeute, qui n'est pas médecin (il est un peu inquiet de ma réaction à cette initiative), prend une seringue vide, la met dans la main gauche du patient et lui demande de se faire une injection comme celles qui lui ont fait du bien. Le patient s'exécute et raconte à nouveau son accident, pleure et est soulagé.

La première des deux séances rapportée à l'instant peut être interprétée par ce qui a été dit dans les pages précédentes. La séance du mois suivant pose question. Que s'est-il passé ? Tout d'abord, la femme n'est plus venue alors qu'elle captait l'attention du thérapeute par sa souffrance et sa soumission à son mari. De plus, elle a trouvé du travail et ne pourra donc plus jouer le rôle de garde-malade. Comment une telle transformation a-t-elle pu avoir lieu, alors qu'elle était empêtrée dans les symptômes de son mari ? Il y a deux hypothèses. La première, minimaliste : durant la séance à laquelle elle a participé, elle a perçu qu'elle était un obstacle et non une aide à la guérison de son mari ou bien elle a pris la fuite devant la sollicitude du thérapeute et a perdu toute envie de revenir ; elle a donc trouvé l'excellente excuse de son travail. L'autre hypothèse, maximaliste celle-là : la femme a participé à distance à la séance de supervision et elle a vu le thérapeute lui donner congé.

Modification

Il y a un autre effet de la séance de supervision. Le thérapeute a complètement modifié son rapport à l'homme et il a retrouvé sa liberté, et donc sa capacité d'invention ; il peut prendre une initiative qui semble audacieuse ou périlleuse. C'est alors que le patient peut trouver le chemin de son mieux-être. Comme il n'a plus le soutien de sa femme, il est contraint ou il choisit de se soigner lui-même. Par la proposition de geste métaphorique, le thérapeute a cessé de vouloir quelque chose pour l'autre. Il lui a littéralement déposé sa guérison entre ses mains en tenant compte du contexte et en utilisant ce contexte. Rien de cela n'aurait été possible si le thérapeute, lors de la séance précédente de supervision, n'était pas sorti de son découragement, s'était encore soucié de la femme, n'avait admis qu'il ne pouvait plus rien pour cet homme. C'est sa liberté recouvrée qui lui a permis d'imaginer une solution qui sortait du cadre d'une thérapie ordinaire et qui était parfaitement adaptée au cas et au contexte thérapeutique de ce patient. C'est à partir de sa propre impuissance et de la légèreté ressentie à partir de cette impuissance que l'on invente et trouve le biais par lequel le patient va pouvoir de son côté inventer à nouveau sa vie.

Ce cas permet de développer certaines questions déjà rencontrées : 1. comment expliquer que l'évocation du patient soit, au cours de la supervision, plus vraie que nature ; 2. que de plus cette évocation permette au thérapeute de changer ; et 3. qu'enfin elle puisse avoir des conséquences médiates ou immédiates sur le patient dans les séances ou en dehors des séances ?

1. S'il n'y avait pas eu de présence physique, il ne pourrait pas y avoir de présence imaginée ou hallucinée. C'est sur la présence physique antérieure que se fonde la présence qui émerge de la mémoire corporelle. Lorsque nous rencontrons quelqu'un, nous percevons une multitude de choses dont nous ne sommes pas conscients. En particulier notre habitude de porter une attention privilégiée aux paroles cache à nos propres yeux le flot de données qui ne sont pas de cet ordre et que cependant nous avons reçues. (Cela vaut déjà pour les objets. J'ai perdu mes lunettes, mais

il suffit que je ferme les yeux un instant pour voir où je les ai laissées – on peut certes faire des erreurs, mais peut-être pas plus que lorsque nous sommes certains d'avoir vu ou entendu et qu'il n'en est rien. Il y a quelque temps, j'étais préoccupé par la recherche du manuscrit d'une traduction faite il y a des années ; je pensais l'avoir égaré lors d'un déménagement. Une nuit, pourtant, je me suis levé et j'ai été tout droit le prendre dans une pile de dossiers. J'avais donc dû le voir sans le remarquer.) Pour que l'évocation corresponde à la réalité et même se conforme mieux à la réalité que ce que nous prenons pour tel, il faut deux conditions : d'abord que la mémoire ait bien enregistré et préservé certaines perceptions fugitives et que quelque chose de semblable à la transe permette à la puissance de l'évocation de les remettre en scène, de retrouver des sensations et des perceptions enfouies qui n'ont jamais été conscientes et qui sont pourtant toujours là[2].

2. La transe du thérapeute en supervision lui permettrait de voir ce qui était sous ses yeux, mais qu'il ignorait. Il voit le visible[3] qu'il aurait pu voir s'il

---

2. Dans ces séances, il ne s'agit pas de perceptions antérieures éloignées dans le temps, moins encore de celles qui remontent à la petite enfance, car le temps transforme tous les souvenirs.

3. *Voir le visible. La seconde philosophie de Wittgenstein*, Paris, PUF, coll. « Philosophie », 2003. L'imagination serait le moyen de combler les lacunes de la perception courante. La fabuleuse imagination-hallucination-délire de Wittgenstein lui permet d'ouvrir pour chaque cas un éventail de perspectives insoupçonnées ou tout simplement, comme il dit, permet non plus de penser, mais de regarder. « Ne dis pas : il *doit* y avoir quelque chose de commun à tous, sans

avait été en transe pendant les séances avec le patient. Il lui avait fallu passer par la supervision pour réapprendre l'usage de la transe dans son travail, pour transformer son regard et le rendre plus disponible et plus perspicace. En prenant tout son temps, lors de la séance de supervision, le thérapeute approfondit sa transe, saisit les défauts de sa position à l'égard du patient, la modifie ou la laisse se modifier grâce à la transe et voit en imagination le patient sous un autre jour.

3. Que le thérapeute perçoive le patient de façon différente et en particulier le perçoive non plus sous tel ou tel aspect, mais dans son entièreté fluide, entraîne inéluctablement que le patient, même sans le savoir, se perçoive étant perçu différemment. C'est pour cela qu'il change ou qu'il est changé, par le simple fait que le thérapeute, son interlocuteur, ne lui renvoie plus, comme les autres de son entourage, une image tronquée ou déficitaire, mais qui prenne en compte ses limites et ses espérances sans en faire une estimation et sans en tirer un jugement. Quand cela est réalisé et dans la mesure où la chose est réalisée, il arrive très souvent – à cela je n'ai pas trouvé d'exception – que, lors de la rencontre suivante, le patient ait changé et

---

quoi ils ne s'appelleraient pas des "jeux" – mais *regarde* s'il y a quelque chose de commun à tous. – Car si tu le fais, tu ne verras rien de commun à *tous*, mais tu verras des ressemblances, des parentés, et tu en verras toute une série. Comme je viens de le dire : Ne pense pas, regarde plutôt ! » (*Recherches philosophiques*, Paris, Gallimard, 2004, § 66.

qu'il exprime ce changement dès les premiers mots qu'il prononce.

Mais est-il nécessaire d'en appeler à la transe pour obtenir de tels résultats ? On peut constater des phénomènes semblables sans que l'hypnose ou ses avatars y soient pour quelque chose. Les psychanalystes qui pratiquent la supervision ont eu maintes fois l'occasion de faire ce genre d'expérience. Ils voient bien que, si l'analysant a changé, c'est que le thérapeute a modifié son rapport à l'analysant grâce à la séance de supervision. Lacan disait souvent que la résistance n'est pas celle de l'analysant, mais celle de l'analyste. Si ce dernier abandonne sa résistance, qui était le reflet de sa peur, de son angoisse, ou de sa cécité, il est naturel que la relation de l'analyste à son analysant se modifie et que, en conséquence, l'analysant ait la voie libre pour modifier sa position dans l'existence.

Spécificité ?

Alors deux questions viennent immédiatement à l'esprit : premièrement, une supervision avec utilisation de l'hypnose diffère-t-elle en quelque façon de n'importe quelle supervision en analyse ou en psychothérapie ? Deuxièmement, la forme prise par la supervision sous hypnose exige-t-elle ou non d'autres types d'interprétations qui nous feraient sortir du domaine de ce que nous pensons être la rationalité ?

Donc, première question : en quoi la supervision qui utilise l'hypnose est-elle différente des autres ? Lorsqu'un cas de psychanalyse est rapporté à un tiers, cela se fait à partir d'un récit, à partir des paroles prononcées par l'analysant et éventuellement de celles de l'analyste. C'est la résonance intellectuelle et affective de ces propos qui est interrogée. Le superviseur peut inviter l'analyste à mieux entendre ou tout simplement à entendre ce qu'il a laissé dans l'ombre de l'articulé ou dans l'obscurité du silence. En ce cas, il fait venir au jour le méconnu ou l'implicite. Il fait voir. Le superviseur peut aussi attirer l'attention du supervisé sur ses préjugés, ses raideurs ou ses craintes. Par là, le supervisé est invité à modifier son comportement ou son attitude, sans que le superviseur puisse en indiquer le moyen. La modification se fait spontanément ou ne se fait pas.

Les choses se présentent très différemment lors d'une supervision qui utilise l'hypnose. Tout d'abord, il n'est pas nécessaire que le superviseur en sache très long sur le cas. En effet, tout est centré ici sur le thérapeute et non sur le patient, c'est le premier qui doit changer, tout le reste qui concerne la cure s'ensuivra nécessairement. Or il suffit de quelques mots pour que le patient soit mis en présence du thérapeute et du superviseur. C'est un peu ce qui a lieu lorsqu'il suffit d'un clou traversant la paroi pour que l'insonorisation de deux pièces contiguës soit réduite à néant. Tout ce qui se passe entre thérapeute et patient est rendu présent par le plus bref discours. Il est même bon d'éviter, dans cette sorte de supervision, que le thérapeute se perde dans un récit détaillé qui sollicite sa mémoire au lieu de laisser s'instaurer la présence par l'énoncé de quelques mots. Le superviseur ne doit pas se soucier d'entendre par le menu ce qui a été dit dans les séances. Puisque tout est centré sur le thérapeute, toute la cure est fort bien résumée par la façon dont le thérapeute réagit à l'évocation du patient. Il importe donc, comme point de départ de la supervision, que soit formulé l'état d'énervement, d'angoisse, de découragement, etc., ressenti par le thérapeute. C'est bien ce dernier qui est mis en question par son patient, c'est de lui-même qu'il doit donc prendre soin sans avoir nul besoin d'exprimer plus avant le contenu des séances.

Dans le cas d'une supervision ordinaire, le superviseur ne dispose d'aucun moyen pour mettre fin ou pour dépasser, par exemple, cet énervement, si ce n'est, dans le cas de l'analyse, d'un voyage au long cours pour le décourager, l'user ou le réduire en poussière sous l'effet de la fatigue et du temps, ou, en psychothérapie, par une meilleure compréhension du patient et par un appel à la sérénité et à la tolérance. Avec la transe hypnotique, superviseur et supervisé disposent d'un moyen de traiter directement ce qui fait obstacle. Ce n'est pas le lieu d'expliquer pourquoi et comment la transe peut venir à bout d'une difficulté ou d'un symptôme. Il suffit de rappeler que l'un des procédés pour effectuer la transe est de proposer d'accomplir l'action qui résolve le problème, et, si on laisse faire, le problème est résolu. Le laisser se faire la solution de la difficulté appelle la solution.

La brève évocation d'un troisième cas permettra de dire encore quelques mots des effets inattendus d'une supervision.

Il s'agit d'une thérapeute chevronnée qui souhaite, lors d'un colloque, faire état d'une difficulté qu'elle rencontre dans sa pratique. Une patiente l'énerve de plus en plus, en particulier parce qu'elle manifeste une résistance affichée à toute tentative d'induction de l'hypnose. Sollicitée par le superviseur, que je suis en l'occurrence, à prendre une bonne position et à retrouver son indépendance et sa tranquillité, l'énervement augmente en présence de la patiente qu'elle retrouve en image. Je lui propose donc de ne pas attendre de revoir cette patiente, mais de l'hypnotiser immédiatement au cours de cette séance de supervision. *Cela lui est très difficile, mais elle finit par se laisser aller à cette injonction insolite. Elle me raconte, deux ans plus tard, qu'à la suite de cette supervision son énervement a cessé, que, lors du rendez-vous suivant, la patiente a dit qu'elle se sentait mieux. La thérapeute a continué à solliciter sa patiente à l'hypnose entre les séances, et la cure s'est poursuivie et achevée de cette façon.*

L'énervement de la thérapeute était tout à fait normal puisque la patiente n'entendait rien de ce qui lui était proposé ou ne l'acceptait que pour produire des effets déplorables. Elle reproduisait avec la thérapeute les relations conflictuelles dont elle était coutumière, et la thérapeute de son côté favorisait l'escalade par son entêtement à tenter d'induire l'hypnose. Lors de la supervision, j'avais beau proposer de laisser s'estomper l'énervement et de ne pas ménager son temps pour cela, la thérapeute reconnaissait s'entêter à vouloir induire l'hypnose. Étant donné sa longue expérience, je ne doutais pas qu'elle fût capable de retrouver la sérénité face à cette patiente, mais il fallait impérativement tenir compte de son attachement à l'usage de l'hypnose et de l'impossibilité d'envisager une autre procédure. Il fallait donc trouver le moyen de maintenir le projet de la thérapeute (à tout prix faire une séance d'hypnose) et de déjouer le refus de la patiente de s'engager dans cette voie. En proposant d'hypnotiser la patiente qui n'était pas là, ce double impératif était respecté : la thérapeute était satisfaite d'avoir pu faire son travail à sa manière, et la patiente, présente par la seule imagination de la thérapeute, pouvait être appréhendée dans son désir caché de tirer profit de la cure. Cette séance fictive était donc supposée tenir compte des bonnes volontés ou des intentions les plus pertinentes de chacune.

Mon injonction d'hypnotiser la patiente, en son absence, dans le temps de la supervision n'a pas été le fruit du raisonnement qui vient d'être exposé, mais a surgi dans mon esprit au hasard de la situation. Jamais je n'avais proposé une telle chose et ne l'ai jamais proposée une autre fois, ayant d'ailleurs totalement oublié cette supervision, n'en ayant connu les conséquences, comme il vient d'être dit, que deux années plus tard et n'étant que modérément enclin à ce genre de bizarrerie. Sans le savoir précisément, j'ai dû penser : « Puisque votre énervement naît du fait que vous ne pouvez hypnotiser cette femme, eh bien, hypnotisez-la ici et maintenant. » Injonction absurde puisque la patiente n'était pas là et que l'on ne peut pas hypnotiser quelqu'un en son absence. Et, pourtant, injonction qui n'est pas sans conséquence, puisque la thérapeute s'exécute avec difficulté, qu'elle transpire, qu'ensuite elle entre dans le monde de la patiente (« Étant en transe moi-même, disait-elle, je me suis retrouvée dans son paysage noir, calciné ») et qu'enfin son énervement disparaît, qu'elle voit sa patiente rire et qu'elle rit elle-même.

D'où vient donc l'efficacité de cette injonction ? Sans doute d'abord et avant tout de l'acceptation par la thérapeute de cette étrange façon de procéder. Elle s'était prêtée au jeu pour faire quelque chose qui n'avait pas de sens ou qui avait trop de sens pour apparaître avoir du sens[4]. Perdue dans ce jeu, elle y

---

4. Le jeu pourrait bien être une définition de l'hypnose. La transe donne du jeu, de l'espace, parce qu'elle sort des limitations et des rigidités de l'actuel. Elle est un jeu parce qu'elle brasse des possibilités en

avait retrouvé sa patiente et ses propres fantasmagories. Tout cela avait mis fin à ses crispations et s'était terminé par le rire. Rien d'étrange dans tout cela. Le détour par la mise en transe de la patiente qui n'était pas là était une parodie d'hypnose, parodie qui évitait à la thérapeute de se prendre au sérieux dans son travail et qui allégeait pour elle la situation. Il n'y a donc aucune prétendue action à distance. Ce n'est là qu'une image ou qu'une mise en scène qui a modifié la thérapeute. Rien d'étonnant que la patiente se soit détendue, qu'elle ait abandonné sa mauvaise volonté et qu'elle se soit trouvée mieux. Il en est de même par la suite : chaque fois que la thérapeute produit la transe à distance, c'est-à-dire rejoue la même comédie, elle se remet dans la disponibilité et la liberté. En conséquence, l'état de la patiente s'améliore peu à peu. Tout cela est normal et n'a pas besoin d'une autre explication.

Chamanisme ?

Voilà ce qui peut être dit en général de la supervision qui utilise la transe hypnotique. Dans le cas présent, il semble, mais ce n'est pas sûr, qu'une question supplémentaire soit posée par cette phrase du

---

tout sens. Elle est encore un jeu par sa gratuité. Elle l'est bien plus parce que, pour l'effectuer, il faut n'en connaître ni le moyen ni le but.

compte rendu de la thérapeute : « À la séance suivante, la patiente est arrivée en se disant aller mieux. » Je m'arrête à cette formule non seulement parce qu'elle apparaît dans ce contexte particulier, mais parce qu'elle est souvent employée par les supervisés lorsqu'ils reviennent voir le superviseur et rendent compte des dires de leur patient. Si on prend au pied de la lettre la constatation de la patiente, on peut y voir la preuve de l'efficacité de l'hypnose pratiquée par la thérapeute soit lorsqu'elle était en séance de supervision, soit après cette séance avant qu'elle revoie la patiente. Mais ce genre d'action à distance nous fait inévitablement penser au chamanisme. Impossible d'importer ce phénomène dans notre culture. Certains ne s'en sont pas privés, et, parmi les philosophes, l'un des plus grands, Hegel, n'était pas gêné par une telle possibilité[5]. Encore faudrait-il distinguer soigneusement le fait que des informations soient communiquées malgré l'éloignement et le fait que des souhaits ou des intentions produisent des effets à distance. En tout cas aujourd'hui, il n'est même pas question de s'attarder à ce genre de distinction. Oser émettre une telle supposition, en discuter et y lier l'hypnose susciterait la plus grande inquiétude.

Cette phrase : « À la séance suivante, la patiente est arrivée en se disant aller mieux » peut prendre une signification sans qu'il soit nécessaire de recourir à

---

5. *Cf.* Hegel, *Le Magnétisme animal*, *op. cit.*, p. 66.

une hypothèse aussi onéreuse. Même si la patiente affirme qu'elle va mieux au début de la séance suivante, il serait possible qu'il lui ait fallu un certain temps avant de le dire. Elle n'allait pas mieux avant d'entrer dans le cabinet de la thérapeute, mais, à l'instant où les regards s'étaient croisés, elle s'était tout de suite aperçue que la thérapeute l'accueillait d'une manière nouvelle, qu'elle avait abandonné ses réticences à son égard et son ennui d'avoir à nouveau à la recevoir. Elle avait alors immédiatement adopté la position qui donnait la réplique à ce changement.

Il reste à dire un mot sur le rôle du superviseur. Dans toute thérapie par l'hypnose, ce qui est visé est une modification d'un rapport, qu'il s'agisse d'un rapport à soi-même, à son corps ou aux divers aspects de son entourage. Ici, il s'agit uniquement du rapport à tel patient. Le superviseur doit donc veiller à ce que la séance soit tout entière centrée sur ce rapport du point de vue du thérapeute. C'est-à-dire qu'il est question non pas de disserter sur le cas pour en mieux comprendre les tenants et aboutissants, mais, pour le thérapeute, de définir sa position, de la prendre effectivement dans la séance, c'est-à-dire de ne pas cesser de se trouver face à son patient, de décrire ce qu'il voit ou sent de l'autre et d'attendre, dans la transe, que le paysage relationnel se modifie. *Le superviseur est donc là comme un metteur en scène et non comme un critique ; il est là non pour discuter ou expliquer, mais pour faire faire.* Il est là pour inviter le thérapeute à laisser exister son patient à sa propre manière. L'exposé du cas n'est rien d'autre que l'occasion d'un apprentissage. Il s'agit donc de poser non pas des questions, mais des actes. Des actes qui modifient la situation.

10

Faire dégorger les escargots dans le sel

Que les savoirs par leur développement même aboutissent à leur fin en passant par leur multiplicité. On ne peut pas faire l'économie du travail de réflexion, on ne peut pas faire l'économie de la pensée et de la compréhension, mais on doit les pousser jusqu'au bout, jusqu'à leur insuffisance, jusqu'à leur éclatement.

Faire fonctionner l'intelligence jusqu'au découragement.

Cela est vrai pour la biologie, qui voulait connaître les secrets de la fabrication de la vie et qui, de sagesse ou de dépit, ne veut même plus employer le mot. Cela fait rétrograde. Parlons seulement du vivant. Cela est plus vrai encore lorsqu'on pratique la vie, cette illusion de comprendre ce que l'on fait, de comprendre l'autre ou de se comprendre soi-même alors qu'on n'a fait que le réduire à quelques formules.

Il faut aller jusqu'au désespoir de comprendre. Il n'est pas bon de ne pas chercher à comprendre, mais il faut ou il est fatal, par l'exercice même, que cette tentative se débilite. Alors on sera prêt à être présent.

La fin d'une psychanalyse ou d'une thérapie pourrait bien se conclure par les seuls mots : « Je suis vivant. » Rien de plus simple, rien de plus difficile d'en faire l'expérience. C'est cette expérience qui devrait gouverner toute la forme de la relation.

Les croyances naissent de ce que l'on n'a pas suffisamment analysé et compris. Du côté de la compréhension, rien ne tient véritablement quand il s'agit de comprendre la vie. Si l'on comprend les croyances, si on les creuse avec passion, elles ouvrent sur le vide. On s'aperçoit que l'on ne croyait à rien, qu'il n'y avait rien, pas de fondement et même pas de sol.

Ne rien faire, ne plus penser, ne pas être dans la prise, mais être pris. Présence impersonnelle du thérapeute, ce n'est pas lui qui est là, c'est une forme de vie. De même que ça tire à l'arc, c'est là.

Le champ s'ouvre. « Je sens que le champ s'ouvre sur et autour de ce patient. » Ce champ est aussi de moi, je suis de ce champ. On n'écoute pas, on n'entend pas, on entre et on se meut avec beaucoup.

Je propose ce champ de sensorialité sans jugement, on prend tout, il n'y a pas de bien ni de mal, il n'y a que ce qui est. On fait comme la vie, on prend tout. Ni stratégie ni tactique. Aucun but et aucun moyen.

L'autre s'y met, il reçoit la complexité de sa vie. Et à cette vie complexe il n'y a rien à ajouter ou à retrancher.

L'impersonnel, c'est celui qui ne juge pas, qui n'a pas de jugement, qui tient compte de tout sans même le hiérarchiser, c'est cela aussi être présent.

On éprouve le besoin d'imaginer ce que l'on n'a pas encore vu, mais il n'y a pourtant rien à ajouter au voir. Simplement s'exercer à voir, à entendre, à sentir en se débarrassant de tout ce que l'on croyait avoir vu ou en y ajoutant encore et encore d'autres éléments. C'est une des caractéristiques de la vie de n'être jamais comprise ; sa complexité n'est jamais rejointe.

Vérifier qu'on est là. Qu'est-ce qui est indispensable pour le mouvement ? L'espace, un espace disponible, un espace vide. Vide de préoccupation, de souci, de savoir, d'expérience. Tout ce qui particularise un individu doit s'évaporer. Aucun item personnel. (Angoisse corrélative du débutant, de celui qui a peur du vide. Il faut bien faire quelque chose pour calmer cette angoisse.)

Rien à proposer, si ce n'est la chose la plus vague, la plus générale à quoi le patient viendra se raccrocher et formuler sa souffrance : vous êtes ici, vous êtes assis, vous êtes venu… Le vide de l'attente et le rien du projet créent un appel d'air dans lequel le patient ne peut pas ne pas s'engouffrer.

Attendre que le patient propose quelque chose, n'importe quoi de ce qui le préoccupe. Donc encore une fois supporter le vide et éventuellement le silence, de ne pas savoir. On ne sait pas ce qui se passe, mais, si on est tranquille, il se passe beaucoup de choses.

Acquiescer, mais tout en se demandant comment ça résonne : est-ce que c'est faux ou juste ? On ne jugeait pas, mais là on doit juger la façon dont ça fait écho. C'est une question musicale, pas besoin d'empathie ou de sympathie, seulement comment ça résonne, si c'est possible de jouer. Donc ni intellectuel ni affectif, simplement ça colle ou ça ne colle pas, on peut continuer ou on s'arrête (il n'y a pas de quoi poursuivre : ça sonne trop faux ou ça ne sonne pas du tout).

On ne juge pas, on laisse faire. Dans le *silence*, tout dépend du fait que l'on ne s'en fait pas, qu'on n'est pas pressé, on n'a rien à prouver ni au patient ni à soi-même. Il y a longtemps que l'on sait que l'on n'est pas bon à grand-chose et que, si quelque chose se fait, c'est que l'on a pris soin de se tenir à l'écart pour ne pas gêner la musique. Encore *silence* : on attend que la vie se manifeste, on attend le printemps, s'il tarde ou s'il ne vient pas du tout, qu'est-ce que l'on y peut ? on n'y peut rien. Le souci n'est pas le contact avec le patient, mais l'apparition de sa vitalité ; et de cela on ne peut avoir aucun souci, ou en tout cas cela ne sert à rien d'en avoir souci.

Impersonnalité de la musique : je suis là non pour m'affirmer en tant qu'individu particulier, mais seulement pour permettre la résonance et pour savoir si ça résonne, ou pour faire résonner le plus loin possible.

On ne guérit pas par la parole, par la compréhension, par le vouloir, on guérit par la position, et la position n'est pas quelque chose que l'on cherche, mais quelque chose qui se fait tout seul, qui se trouve. La position, c'est la prise de l'espace et du temps dans l'espace et le temps.

Pas besoin d'imaginer pour changer la situation, il suffit d'y voir ce qui s'y trouve et qu'on n'apercevait pas. Pas besoin de changer, mais seulement prendre le temps d'ouvrir les yeux. C'était changé, mais ni mon regard, ni mon attitude, ni ma position ne le savaient. On imagine ce que l'on ne voit pas encore.

On est là pour voir ce qui est là et qui n'est pas encore visible. Et ensuite pour que le patient le fasse. Faites ce que vous êtes déjà et que je vois pertinemment. Bien sûr, vous ne l'êtes pas encore et vous perdez votre temps à regretter de ne pas l'avoir été. Si vous cessiez votre discours retardataire.

Quand on demande à un patient de se mettre en présence d'un proche et de laisser se transformer la relation avec lui, on lui fait adopter l'attitude de thérapeute. Cas de la femme qui veut tout faire pour sa fille puis qui la laisse tranquille, cas de l'homme qui était prêt à frapper son fils, mais qui le voit de façon nouvelle. Le thérapeute fait cela. La différence, c'est que pour le patient l'autre n'est pas là en chair et pourtant il est là. Pour le thérapeute, le patient est là, mais justement il doit être absent dans sa manière de dire et de se présenter. C'est plus facile en l'absence, parce que c'est soi-même qu'il faut changer et non pas l'autre. Mais c'est peut-être la même chose pour le thérapeute qui doit changer pour pouvoir voir. La femme qui veut tout faire pour sa fille avoue que c'est elle qui doit changer et non pas sa fille accéder à l'indépendance, de même, c'est le thérapeute qui doit changer pour donner à l'autre la possibilité d'accéder à la liberté, à la décision. Je suis en présence d'un autre qui m'échappe, que je laisse m'échapper, dont je n'attends rien si ce n'est qu'il est ce qu'il est, qu'il soit ce qu'il est.

J'ai besoin, je n'ai pas besoin qu'un autre fasse l'expérience de son existence, fasse l'expérience de son humanité, qu'il existe en tant que vivant humain. Après, tout le reste se met en place.

Pour cela, il faut qu'il existe à sa manière dans son contexte. C'est en habitant la particularité de sa situation qu'il pourra faire l'expérience de son existence propre. Mais ce n'est pas intéressant l'existence propre, pas plus que le corps propre. Ce qui importe, c'est le sentir de l'existence.

Expérience qui n'est pas indispensable, mais qui l'est lorsque rien ne va plus ou que quelque chose dans le quotidien n'est plus d'aplomb. Ce que l'on dit après un malheur : « Il faut bien continuer à vivre. » C'est la vie qui a été en question et par laquelle on se laisse reprendre.

Pourquoi cette expérience est-elle capitale ? Comment peut-on la susciter ? Pourquoi en faire le nerf de la thérapie ? Qu'est-ce que cela suppose de la part du thérapeute ? C'est si important, parce que c'est la même chose que de recevoir la vie, c'est le médicament. Il faut donc régresser topiquement, se dépouiller de toutes les formes particulières de vie pour expérimenter la vie. (La vie s'expérimente, elle ne s'explique pas.)

Donc ne pas s'intéresser à moi, mais à ce qu'il y a en moi, en mon individualité, sur quoi je n'ai pas de prise, ce qu'il y a de plus impersonnel, ce qui se personnalise de mille façons et qui jamais ne s'épuise ou même ne se dit dans ces façons.

Je ne cherche pas à sentir que je suis vivant. Cela arrive quand j'adhère à ma forme de vie, c'est-à-dire à toutes les circonstances de mon état d'être vivant.

Régresser, c'est ne plus rien exiger, c'est mettre en état de négligence tout ce qui nous tient et tout ce qui nous touche. Rendre non indispensable tout ce à quoi on est lié.

Qu'est-ce qui guérit ? Quelle est la force qui guérit ? *Medicus curat, natura sanat.* Comment permettre à la nature de guérir ? Comment se positionner pour permettre à la nature d'agir ?

Quel est le contraire de cette position ? C'est vouloir fabriquer la vie (la science biologique), c'est vouloir utiliser la vie selon notre initiative (toute entreprise humaine) (refaire le monde à notre guise). Mais dans l'un et l'autre cas on utilise la vie que l'on rencontre ou que l'on a.

Donc, pour aller à l'encontre de toute initiative et de toute prétention à créer : ne plus vouloir et ne plus penser, entrer dans la plus totale passivité, mettre en suspens toute recherche de compréhension, formidable attente.

C'est cette attente que doit susciter le thérapeute parce qu'il la vit. Comment est-il possible de ne rien faire ? Comment est-il possible de ne plus utiliser la vie, mais de l'attendre, de faire comme si on ne l'avait pas, comme si elle allait s'arrêter, comme si on n'en disposait pas, comme si on renonçait à ce qu'elle nous avait octroyé jusque-là. Là est la proximité de la mort.

Dire « je suis vivant », c'est déjà trop, parce que c'est sortir de l'expérience. Geste indispensable à l'homme peut-être, plutôt inévitable, car il s'étonne.

Dire que toute personne qui laisse faire fait inévitablement l'expérience d'une modification ou de quelque chose qui l'étonne : c'est tellement joyeux.

Le ne rien faire est peut-être contradictoire, mais ce qui est en jeu, c'est de laisser faire. Or laisser faire est vraiment un acte possible, c'est semblable à l'attente.

On voit dans les intervisions en quoi consiste la présence. Une mise en présence en dehors de la présence physique révèle ce que pouvait être la présence cachée, une présence beaucoup plus intense et beaucoup plus vaste. Une présence qui engage les deux interlocuteurs : les modifications de l'un modifient l'autre. Cela a pu commencer en psychanalyse lorsque le transfert donnait une place à l'analyste et que l'analyste en changeait. C'est bien cela qui se passe dans une séance d'intervision.

Réduction à la sensorialité, donc plus question de pathos et d'émotion.

Réduction à la sensorialité parce que c'est le seul moyen d'être en contact avec la totalité de l'environnement, comme le fait un être vivant.

Mais pourquoi le contact avec l'environnement ? Parce que c'est par l'environnement que l'on guérit, ou plutôt la guérison n'est rien d'autre que l'accord avec l'entourage et l'environnement. La place dans la culture, dirait Wittgenstein.

Risquer la vie comme on risque la mort, risquer de laisser venir la vie.

Toute modification est celle de la vie, du vivant qui entre dans la variabilité.

Qu'est-ce qui guérit, qu'est-ce qui fait changer ? C'est la nature, disaient les anciens, c'est la force de la vie. Alors la seule question est : comment piéger la vie, comment la faire venir ?

C'est un accueil, mais c'est un combat : l'indifférence, le vide contraint l'autre à faire de même.

Il faut trouver sans chercher. C'est là qu'il faut arriver. Le chemin est celui d'une recherche qui aboutit à l'impasse. Lorsque l'on a désespéré de trouver, la recherche s'arrête dans le désespoir, et c'est ce moment de désespérance qui permet l'illumination. On trouve sans avoir plus à chercher et parce que l'on n'a plus à chercher.

Table

Compogravure : Facompo, Lisieux

Achevé d'imprimer en février 2017
par l'IMPRIMERIE MAURY S.A.S.
Z.I. des Ondes - 12100 Millau

N° d'impression : B17/55813S
N° d'édition : 7381-2052-6
dépôt légal : février 2008

Imprimé en France